푸른 동해의 영원한 노병 §

조충현 지음

"나는 동해바다를 결코 잊을 수 없다."

초대 제1함대 사령관
조충현 제독의 비망록

차   례

책 머리에

나는 1955년 3월 대한민국 해군사관학교 제 13기생으로 입교하였다. 그 후 4년 동안 해사 생도 과정을 거쳐 1959년 4월에 해군 소위로 임관하였고 1982년까지 23년 동안 7개 유형 함정의 해상 근무와 주로 작전 분야의 육상 근무를 통하여 해군 장교로서의 경력을 쌓아갔다.

그 후 1983년 1월에 나는 명예로운 장성으로 진급되어 해군작전참모부 작전차장으로 근무하다가 1984년 1월 해군 동해 해역 사령관에 보직되었으며, 1986년 2월에는 다시 소장으로 진급하여 증편된 동해 함대 사령관으로 근무하였고 1987년 1월에는 해군작전사령부 부사령관으로 전임되었다. 나는 이 보직을 마지막으로 해사생도 시절을 포함하여 32년간의 군생활을 마감하고 1987년 6월 30일 해군 예비역으로 전역하였다.

나는 해군에서 전역한지 5년이 지난 1992년 겨울, 헤어진 지 20여 년이 된 한 선배님을 만나보게 되었다. 그 분은 나의 해사 10년 대선배로서 12년이라는 기나긴 세월을 한 병원 병실에서 투병하고 계신 분이셨다. 1992년 12월 5일 토요일 하오 2시 OO병원 OOO호실에 노크를 하고 병실의 문을 열고 들어서자 침대에 비스듬히 누워계신 선배님의 모습과 창가 간이소파에 앉아계신 낯익은 사모님의 모습이 함께 보였다.

그날 몸이 불편하심에도 불구하고 선배님은 나와 장장 4시간 동안 대화를 나누셨다. 대화가 끝날 무렵 내가 일어서려 하자 선배님께서 손을 내미시고는 내 손을 꼭 잡으시더니 한참 눈을 감고 계시다가 "조제독, 그 권총의 일련번호가 기억난다" 하시는 것이었다.

그 말씀에 나는 다시 한번 놀라지 않을 수 없었다. 나는 그 권총을 23년간 관리하였음에도 불구하고 그 권총의 번호를 외우고 있지 못했기 때문이었다. 그 분은 한참 입을 우물우물 하시다가 "후이… 후이야, 요… 요… 요야무. 그래, 요야무야" 하시는 것이었다.

사모님께서는 적어두어야 한다고 하시면서 재빨리 종이와 연필을 꺼내셨다. 사모님의 행동은 매우 민첩하고 숙달되어 있는 듯 보였다. 사모님은 "뭐에요? 이것 중국말인가?" 하시면서 "후-이-야, 요-야-무 맞아요?"라며 선배님께 다시 한번 확인하면서 적어내려 가셨다. 선배님은 확실히 기억이 떠오른 모양이신지 "그래, 「후이야 · 요야무」 야" 라고 하시며 대단한 것을 발견한 것처럼 상기된 표정을 지으셨다.

하지만, 나는 선배님의 그 말씀이 도무지 무슨 의미인지 알 수가 없었다. 사모님이 "아마 이게 숫자를 의미하는 것 같아요" 하시자 그제서야 나는 "아!" 하고 알아차릴 수 있었다. 중국말이 아니라 일본말이었다.

일본말의 숫자 부름에는 두 가지 종류가 있는데, "1 (이찌)", "2 (니)", "3 (산)", "4 (시)", "5 (고)" 하는 방식과 "1 (이)", "2 (후)", "3 (미)", "4 (요)", "5 (이쓰)", "6 (무)", "7 (나나)", "8 (야)", "9 (고고노)", "10 (도)" 하는 또 다른 방식이 있다.

선배님께서 중얼거리신 "후이야-요야무"는 바로 두 번째 숫자 부름 방식으로 "218486"이라는 그 권총의 일련번호를 의미하는 것이었다.

사모님께서는 우리 대화를 들으시고 너무나 애석한 사연으로 생각하셨음인지 그 발음과 숫자를 나에게 다시 적으라고 하셨다. 사모님께서는 내가 일본서적을 읽을 수 있다는 사실을 아실 리가 없었으니 내가 이미 그 숫자들의 의미를 파악하고 있다는 사실을 모르셨던 것이었다.

그래도 시키는 데로 그 발음과 숫자 조합을 수첩에 적고 있는데 선배님께서는 다시 한번 내 손을 꼭 쥐시면서 조제독 "그 번호는 기분 나쁜 것이야"라고 말씀하셨다. 사모님도 "참 그렇네"라고 맞장구를 치셨다.

"후이야-요야무" 나도 알 것 같았다. 이 숫자군을 또 다른 일본말로 바꾸어보면 다음과 같은 한문어구로 해석될 수 있다. "후 (不)", "이 (一)", "야 (夜)", "요 (世)", "야 (止)", "무 (む)", 즉, "不一夜, 世止む"가 된다.

구태여 해석을 붙인다면 "한밤이 다 가기 전에 세상이 그친다"는 풀이가 된다. 정말 신기한 어떤 예언인 듯 하였다. 나는 어떻게 이럴 수가…… 하면서도 태연하고자 안간힘을 다하였었다.

1987년 6월 30일 나는 대한민국 해군 작전사령부 부사령관을 마지막 보직으로 32년간의 정들었던 해군 생활을 마치고 전역하였다. 나의 전역은 계급정년이나 연령정년 또는 후배들의 조기진급에 따른 소위 용퇴 같은 통상적인 예편이 아니라 '불법무기소지 및 파기'라는 군율 위반으로 물의를 일으켜 스스로 전역을 하겠다고 결심한지 17일 만에 전격적으로 단행된 것이었다. 그리고 문제의 불법무기는 바로 위에서 이야기한, 나를 믿고 사랑하셨던, 그 선배님이 나에게 맡기신 것이었다. 그로 인한 불명예스러운 전역은 해군과 바다를 누구보다도 사랑하며 32년간 열심히 군생활을 해온 나에게 너무나 잔인한 결과였다.

이제 전역한지도 25년, 모든 것은 결국 나로 인해 벌어진 일이라고 조용히 받아들이고 결코 후회하지 않기로 단단히 결심하기에 이르렀다. 또한 이제는 지난 해군 생활을 통해 겪은 여러 가지 일들에 대한 소회(所懷)를 정리하여 세상에 내놓을 때가 되었다고 생각하게 되었다. 다소 늦은 감이 있긴 하지만, 이제라도 이 책이 세상의 빛을 보게 된 점을 기쁘게 생각한다.

여기에 수록된 내용들은 한 해군제독의 현역생활에 관한 기록이므로 서술 과정에 그와 관련된 인물들이나 사건들이 등장하게 되므로 저자가 특히 신경을 쓴 점은 사실관계가 어긋나지 않도록 하는 것이었으며, 따라서 저자와 직접 관련이 없는 것들은 가급적 피하기로 하였다. 그리고 보안상 보다 다양한 사연들을 소개할 수 없었음을 안타깝게 생각한다. 다만 사랑하는 해군의 후배님들이 여기에 수록된 내용들을 조금이라도 참고하여 유사한 상황이 전개되었을 시 보다 신속하고 정확한 대응을 구상하는데 도움이 될 수 있다면 더 바랄 것이 없을 터이다.

끝으로 이 책이 빛을 볼 수 있도록 원고정리를 도와준 나의 사랑하는 세 여식 정화, 정민, 정선 자매와 내가 기록과 자료를 더듬을 때에 항상 곁에서 기억을 일깨워주었던 사랑하는 나의 아내, 지금은 하늘나라에 계시는 전원자 씨에게 이 책을 헌정하고자 한다.

딸의 이야기

낚시대를 만지작 거리며 노시던 아빠는 "이제 다음에는 뭐 재 밌는거 하고 놀까?"라고 물으신다. 눈빛에 기대가 가득하다. 바라보는 내 가슴이 먹먹해졌다. 그때가 마지막으로 아빠가 나를 알아보시던 때였다.

아빠의 치매가 점점 심해지시던 때에 코로나가 왔고, 언니들의 보살핌을 받으며 그 시기를 어렵사리 지난 어느날 아침, 아빠는 콧노래를 부르시며 편안히 하늘나라로 가셨다.

한국에서 걸려온 전화에 부랴부랴 입국을 하는데 오미크론이 갑자기 확산되던 시기라서그 과정이 너무도 어려웠다. 입관시간에 맞춰 기적처럼 입국했지만 장례식장에 출입이 금지되어 모두 떠난 빈집에 나는 허망하게 홀로 남았다.

보건소에서 장례입장 허가가 나기만을 기다리면서 눈물을 훔치며 아빠 물건을 정리했다. 아빠는 치매가 심해지시면서 소중한 물건들은 침대 밑으로 숨기셨었다. 침대 밑에서는 해군 달력, 엄마사진첩, 그리고 동전지갑이 있었다.

그리고 책꽂이에서 찾은 아빠의 원고. 원래 제목은 '동해의 노병'이었다. 아빠가 갑작스런 전역을 하신 후에 이 원고를 쓰시고 책을 내려고 하셨었는데, 고민끝에 결국 포기를 하셨었다. 그날 나는 홀로 남은 빈집에서 원고를 꼭 안고 "꼭 이 책 만들어드릴께요." 라고 다짐했었다.

아빠는 말그대로 인생을 해군에 바쳤던 분이다. 동해 계실 때 아빠는 매일 저녁 망상 해변에 들리셨다. 나는 어린 마음에 아빠는 노을을 좋아하는가 생각했었다. 어느날 아빠는 파도소리를 들으면 오늘밤 장병아저씨들이 편히 잘수 있는지 아닌지를 알 수 있다고 설명해주셨다.

마음에 해군이 꽉찬 분이 그렇게 갑작스럽게 전역을 하셨을 때, 그것도 스스로의 불찰로 그리되었을 때, 그 가슴이 어떠했을지는 상상을 할 수가 없다.

이 책은 아빠가 해군에게 바치는 연가라고 생각한다. 아빠가 바라시는 대로 푸른 동해의 영원한 노병으로 누군가에게 기억되기 바란다.

아빠를 사랑하는
정화, 정민, 정선

1. 대관령 눈길 넘어 임지로

나는 군에서 흔히 말하는 "작전통"이었다고 스스로 자부해왔었다. 함대 사령부에 근무하던 영관 장교 시절부터 육상근무는 주로 작전분야에서만 근무했었고 1982년 제1차 장성진급에 누락되고는 해군본부 작전처장, 1983년 동기생 제2차 장성진급 후에는 해군본부 작전차장에 보직되어 있었다.

내가 동해 해역사령관으로 명령 받은 것은 1984년 1월로 새로운 해군 전력운용 계획이 수립되어 추진되기 시작한지 2년째 되던 때였다. 그 당시의 해군 지휘부는 나에게 현재 해군이 추진하고 있는 새로운 전력운용 계획을 차질 없이 수행할 것을 엄명했다.

전력운용 계획의 주된 변화의 골자는 동서해 전방 해역에서 해군의 즉응 전투태세를 향상시키는 것으로 그때까지 해군의 모항인 진해항을 중심으로 운용하여 오던 해군 함정 세력 중 더 많은 전력을 동해 및 서해 전방해역에 항시 주둔시켜 운영하는 전방전개 개념이었다.

함정세력이 많지 않았고, 함정이 안전하게 정박할 수 있는 항구시설이나 지원시설이 미흡한 상태에서 이상과 같은 전력운용의 개념변화는 매우 어려운 주문이었다. 그러나 해군은 모든 어려움을 극복하면서 이와 같은 획기적 변화의 추진에 착수하였던 것이다.

또한, 나의 부임 2년 전인 1982년 12월, 대통령께서 바로 이 부대에 대한 연말 순시를 하신 일이 있었는데, 그때 해군전력 운용개념 전반에 관한 대통령의 강한 의지가 표명되었었기 때문에 해역 사령관으로서의 나의 책임은 더욱 엄중한 것이었다.

그 당시까지만 해도 해군에서는 동기생 중 2차로 진급한 장성으로서는 몇 안 되는 일선 지휘관인 해역 사령관에 보직된 사례가 많지 않았던 것으로 나는 기억한다. 그런 가운데 바로 나는 동기생들 중에서 2차로 진급한 장성이었다.

나는 내 임무의 막중함을 스스로 절감하며, 분에 넘치는 해역

사령관 보직명령을 자랑스럽게 생각하고, 감사하면서 정월의 눈 쌓인 대관령을 넘어 임지에 부임하였다.

2. 동해바다 지키기

어선 보호

해군 동해 해역사령부는 동해북부해역의 해상방위 임무를 수행하는 해군의 최전방 해상작전부대의 하나이다.

보이지 않은 해상의 북방경계선을 경계로 하여 남북한 해군의 전투함정이 대치하고 있어 북한의 해상도발 행위에 대비하여야 하고 해역 전 연안에 대한 해상 대간첩 작전을 수행하여야 하며 계절에 따른 성어기에는 거진 연안으로부터 멀리 울릉도 북방 대화퇴까지에 형성되는 어장에 집중적으로 몰려드는 어선군의 안전조업을 보장하여야 하며, 해상, 수중, 공중으로부터의 제반 위협에 대비하기 위한 작전을 수행하면서 장병들의 전투기량을 지속적으로 향상시키기 위한 각종 교육훈련을 간

단없이 수행하는 것이 주요 임무였다.

여기에 해군의 새로운 전력운용 개념의 추진으로 새로운 전력의 수용을 위한 지원태세 확충계획이 차질 없이 수행되어야만 하였다.

내가 현지에 부임할 때는 겨울철로 한참 명태성어기였다.

무엇보다도 화급한 임무는 북방경계선해역의 적 해상도발행위에 대한 대응과 해상 대간첩작전 수행이었다.
북방경계선 근해의 해상경비작전은 주어진 함정세력으로 상시 경비세력을 배치하여 경계 및 감시 임무에 임하게 되어 있었다. 그러나 명태 성어기나 오징어 성어기가 되어 북방경계선 해역 일대에 어장이 형성될 때에는 제한된 함정으로 이를 통제하고 감시하기란 생각처럼 쉬운 일이 아니었다.

조업어선의 통제임무는 일차적으로 해양 경찰대의 임무이지만 해경대의 해상작전 통제를 행사하고 있는 해역사는 조업어선의 납북사건이나 해상사고 발생시를 대비하여 만반의 태세를 갖추어야만 하였다.

어민들은 어획고에 생활의 대부분을 걸고있는 국민들이다. 동해바다는 매우 넓은 듯하지만 명태나 오징어 어선들이 모여드는 주요 어장은 그다지 넓지 못하다. 거기에다 성어기가 되면 각지에서 모여든 수백 척에 이르는 어선들로 바다는 일대 혼잡을 이루게 된다.

북방경계선 인접수역에서는 지상의 비무장지대처럼 남북한의 어선들이 상호 조업하지 못하는 진입 금지된 처녀구역이 있다. 어군을 따라 북상하는 어선들은 그들이 함부로 출입할 수 없는 북방경계선 인접수역에 대한 진입 의욕이 대단히 완강하다. 이에 대한 통제와 감시가 허술하게 될 때에 어선 납북사건을 자초하게 되어 있는 것이다.

통제 및 감시함정이 부족할 때에는 물밀듯이 북상하여 오는 어선들을 미리 저지시키기 위하여 보다 남방에서부터 통제하기 시작한다. 하지만, 적은 수의 함정으로는 호시탐탐 어획량을 높이기 위해 북상을 시도하는 어선들을 막기에는 역부족인 경우가 많았다. 예를 들면, 동쪽에서 일부 어선이 북상하여 그 쪽으로 가서 통제하다 보면 이번에는 서쪽의 어선들이 북상하는 식이었다. 조금만 더 올라가서 어망을 내리게 되면 어획고가 훨씬 더 많아지는 상황에서 올라가지 못하게 하는 해군 및 해경 함정과 어선군 간의 대치는 흡사 데모진압 현장이나 지상전에서 유리한 고지를 선점하기 위하여 전개되는 치열한 공방전을 방불케 하였다.

결국 이러한 문제들을 해결하기 위해서는 수협, 도 행정기관, 해경, 어민 대표들과의 긴밀한 협조가 관건이었다. 어로작업이 허용된 해역에서 어로 작업을 충분히 보장하는 대신 수협이 주동이 되고 지구별 어민 대표들이 계몽 및 지도요원이 되어 스스로 규정을 지키고 그 규정 내에서 어민들의 이권을 최대로 보장하는 방법을 강구하기 위한 회의가 반복해서 개최되었다.

한번은 내가 직접 그 회의에 참가하여 어민 대표들에게 "지금의 해군은 얼마 전 해군과 다르다. 여러분들께서 내어 주신 세금으로 더 빠르고 더 많은 해군함정을 건조하여 이제 동해에서도 여러분이 조업 가능한 어느 해역에서나 마음 놓고 조업하는데 지장 없도록 안전하게 보호할 능력을 가지고 있다. 그러므로 여러분들이 우리와의 약속을 충분히 이해하고 준수만 하여준다면 모든 조업업무에 해군이나 해경도 적극적으로 협력하고 돕겠다"는 뜻을 전하였다.

이와 같은 꾸준한 노력의 결과 어민들도 차츰 공동의식과 자율적이고 협동적인 의식이 고양되어가기 시작하였다. 또한 해군도 불과 몇 년 전과는 판이하게 그 전력이 달라져 보다 성능이 우수하고 더 기동성이 좋은 많은 해군 함정이 전개되었으므로 규정보다 더 남하시킨 잠정 어로 통제선을 고집할 필요가 없었다. 그리하여 동해에서는 민, 관, 군이 합심하여 이 어려운 문제를 성공적으로 해결할 수 있었다.

그 결과 해군·해경 함정이 동서로 줄지어 서있는 조업 한계선을 일체 월선하지 않고 평화롭게 조업하는 기풍이 조성되기 시작한 것이다. 그리하여 내가 부임한 그 해 겨울철 명태성어기로부터 3년간 동해에서는 단 한 건도 어선 납북 사건이 발생하지 않았다.

그 후 나는 동해에서 조업하는 어민들을 생각할 때면 고마운 마음을 금치 못하였다. 그분들을 위해서 내가 도와줄 수 있는 일을 열심히 찾게 되었으며 아울러 해군함정에 비하여 보다 작은 함정임에도 불구하고 거친 동해바다에서 어민들의 안전조업에 최선을 다 해온 해경정 요원들의 노고를 지금도 잊지 않고 있다.

어떻게 지킬 것인가?

1년 365일 중 바다가 비교적 잔잔하다고 생각되는 날 밤이면 고도의 긴장 상태가 반복 되었다. 다름 아닌 적의 간첩선 침투 도발에 대응하기 위한 작전 때문이었다.

당시 대한민국 해군은 세계의 어느 나라 해군에서도 경험하여 보지 못한 독특한 해상 대비 정규전 작전을 수행하고 있었다.
북한이 남한에 침투시키고 있었던 쾌속 간첩선의 경우 물론 간첩선 모선도 있었으나, 실제로 연안에 접근하여 침투하는 공작선은 5톤 크기의 소형인데다가 속력이 무려 40내지 45놋트를 상회하는 고속쾌속선이었다.

거기에다 한술 더 떠서 이 공작선이 반 잠수(半 潛水)가 가능하다는 사실 이 노획된 간첩선에 의하여 판명 되었다.
그러니까 해상대간첩작전에서 해군이 찾아내고 공격하여야 하는 표적 즉, 간첩선은 크기 5톤, 속력 45놋트, 반 잠수 기능을 가진 표적이 그 대상이었다.

실로 세계 그 어느 나라에 이와 같이 해괴망측한 공격 목표를 가진 해군이 존재했던가?
해상에서 몸체가 훨씬 큰 해군함정이 일엽편주와 같은 5톤 크기의 간첩선을 발견하기 전에 간첩선이 해군 함정을 먼저 발견하여 피하기 때문에 해상에서의 조우는 거의 불가능한 것이다. 그러므로 해상대간첩작전의 요령은 간첩선을 적극적으로 찾아 나서는 작전보다는 간첩선이 침투하여 오리라고 판단된 침투 목 작전이나 간첩선의 징후가 나타났을 때 이의 도주로를 차단 하는 작전이 보다 주효한 작전개념이 된다.

이전까지만 하여도 해상에서 간첩선을 격침 또는 노획한 경우 가 없지는 않았으나 이는 간첩선이 연안에 침투하여 그 정체 가 드러난 것을 추적하여 성공한 사례가 대부분이었다.

그런데 대한민국 해군은 해상에서 직접 이들을 노획하거나 격 침시킨 실적을 갖게 되었으며 이처럼 공격하기 어려운 목표에 지향된 끈질긴 노력으로 그들이 해상침투를 더 이상 하지 못하 도록 쐐기를 박는데 성공한 것이다.

내 생각으로는 대한민국의 해군이 이처럼 보기도 찾기도 부수 기도 어려운 공격 표적을 봉쇄시킬 수 있었다는 집요성을 비추 어 볼 때, 만일 대형의 전함(戰艦)이 말썽을 부릴 경우 국민들 이 전폭적으로 밀어주고 성원하여 줄테니 문제를 해결해 보라 고 명령한다면 한국 해군은 거뜬히 해낼 수 있을 것이라는 확 신을 나는 가지고 있다.

한국해군의 고속정 세력은 북한에 비하여 수적 열세를 보완하기 위한 목적도 있었지만 해상대간첩작전 소요에 의거 건조되었으며 이들은 날이 갈수록 매우 중요한 역할을 하게 되었다.

차츰 증강되어 추가로 배치된 고속정편대세력은 해상대간첩작전 뿐만 아니라 접적해역 근해에서 사태발전시 기동타격세력으로도 큰 몫을 하기 시작하였다.

사진1. 15분 대기 중인 고속정 편대

동해연안 항포구 요소요소에 전개된 고속정편대들은 취약시간에는 침투목으로 판단되는 위치에서 잠복경비를 한다. 외해와 접적해역에는 대형, 중형, 경비함정이 상시 경비에 임하고 있다.

일단 유사시 상황이 전개되면 최초 상황이 전개된 장소에 따라 모든 함정세력들이 자동적으로 추적, 차단하게 되는 초동계획이 수립되고 반복적으로 이를 숙달시켜 나아갔다.
이 작전의 핵심은 요소요소에 전개 또는 잠복된 고속정편대가 얼마나 신속하게 초동작전에 임할 수 있느냐 없느냐에 달려 있다.

이와 같이 발동된 해상대간첩작전은 책임해역 전 연안에 배치된 지상군 작전요소와 긴급 요청된 공군의 전력에 의한 고도의 합동 및 협동작전으로 전개되는 것이다.

그런데 1985년 당시만 해도 해상 상태가 양호한 밤이면 흡사 「이솝동화」의 이야기에 나오는 「늑대」 소동이 밤마다 일어났다.
늑대 대신 「쇠말뚝」, 「의아선박」, 「거수자」(거동수상자의 약칭) 신고로 인한 긴장의 연속이었다.
「쇠말뚝」이란 적의 간첩선 자선이 반 잠수정화 한 이후 선체는 잠수하여 보이지 않고 숨을 쉬기 위한 공기통만 해상에 내어놓고 있을 때 이 공기통과 같은 형상의 물체를 일컫는 표현이었다.

책임해역 전 연안에 배치된 육군초소병들이 해상에 떠있는 쇠말뚝 비슷한 것을 목격하고 신고하게 되면 해당 지역에 따른 해상작전이 발동된다.

이는 실제상황이 되며 표적이 실제 간첩선이 아닌 것으로 확인되면 훈련이 되는 셈이다. 상황이 전개되면 사령관은 당연히 작전 상황실에 위치하여 작전을 지휘하여야 한다.

동해는 남해나 서해연안과는 달리 해안 구조가 단조롭고 수심이 깊으며 양식장과 같은 항해 장애물이 비교적 많지 않아 함정의 연안기동이나 「레이더」에 의한 감시에 어려움이 많지 않았다.

그러나 동해에도 연안지역에는 제법 많은 정치망이 설치되어 있었다. 육군초소에서 신고된 쇠말뚝이나 의아선박은 해상에 있는 것이므로 해상에 출동한 고속정 편대가 연안 가까이까지 접근하여 식별이나 확인을 한 후에야 상황이 종료되는 것이다.

어떤 취약시기(달이 없거나 해상이 잔잔하여 간첩선 침투가능성이 크다고 판단된 시기)에는 하룻밤에 세 번 이상의 신고가 있었던 적도 여러 번이었다.

그러나 일단 상황이 전개되면 언제나 바로 적의 침투 행위라고 전제하고 작전에 임하여야만 하였다. 이것이 바로 비정규전

이 노리는 한 가지 목적이기도 한 것이다.

이와 같은 상황에서 해군이 개발하여 증강된 고속정편대의 활약은 실로 눈부신 것이었다. 잠복 중이거나 5분대기하의 고속정편대가 상황이 전개되면 약속된 태세 선포로 상황이 전개된 지점을 중심으로 하여 이중 삼중의 차단선을 설정하면서 일제 기동하고 가장 가까이 위치한 고속정편대가 신고지점에 고속으로 기동하여 육군초소와 통신을 설정, 정보를 교환하면서 최종 확인을 하게 되는 것이다.

쇠말뚝과 오리

1985년 늦가을이었다고 기억하는데 다음과 같은 사건이 있었다.

새벽 2시경에 한 육군연안초소에서 쇠말뚝 신고가 전파되었다. 전파내용인 즉 소총사격 거리 내에서 쇠말뚝이 관측되어 소총사격을 가하였는데 쇠말뚝이 슬며시 바다 속으로 사라졌다는 것이다. 더군다나 잠시 후 바로 그 장소에 하얀 물체가 떠올라 외해 쪽으로 서서히 이동하고 있다는 것이다. 현재 쇠말뚝을 시야 내에 보고 있다는 상황과는 차이가 있었다.

인근에 잠복 중이던 고속정편대가 육군의 「레이더」초소와 정보를 교환하면서 현장에 접근하였다.

현장에 접근하여보니 과연 하얀 물체가 있음을 고속정편대가 확인하고 완전전투 태세 하에서 1 척의 고속정이 엄호에 임하고 편대장이 승조한 다른 1 척의 고속정이 가까이 가보니 오리 한 마리가 죽어서 떠있다는 것이었다.

상황이 종료되고 잠복임무를 마친 바로 그 고속정편대장이 죽은 오리 한 마리를 상황실에 가져 왔는데 정말 신기한 일이었다. 오리의 몸체길이가 50cm 정도이고 등과 목 머리 부분은 새까맣고 가슴과 배 부분은 하얀 오리인데 흔히 볼 수 있는 종류의 것이 아니었다. 더 자세히 살펴보니 목 부분에 소총탄이 스쳐

간 흔적이 있고 핏자국이 있었다.

이 오리가 물위에 떠 있을 때의 목과 머리 부분은 육군초병에게는 틀림없이 쇠말뚝으로 보였을 것이고 소총탄에 맞아 죽은 이후 배가 위로 떠올랐을 때에 초병은 쇠말뚝이 있던 자리에 하얀 물체가 나타난 것으로 본 것이었다.

육군초병의 감시태세와 사격술은 대단한 수준이었고 매우 신뢰도가 높은 것이었다. 나는 죽은 오리를 깨끗한 상자에 넣어 잘 포장하여 쇠말뚝 신고로 신경을 곤두세우고 있을 육군연대장에게 보내면서 오늘밤 쇠말뚝을 발견하고 그 쇠말뚝에 소총사격을 가하여 명중시킨 육군초병에게 특별한 칭찬을 하고 보상하여 주도록 요청하였다.

동해연안의 해상침투 저지를 위한 육군과 해군의 의지는 대단하였고 협동작전능력은 상호 상이한 지휘체제 하에 있더라도 한마음이 되어 있었다.

해상대간첩작전은 이미 설명한 바와 같이 지상 및 해상세력만의 작전은 아니다. 고속정 편대가 징후 포착시 신속히 현장으로 기동하면서 인근 육군부대 통제초소와 통신을 유지 상호 긴밀한 정보 교환을 하면서 필요시 공군부대의 항공기를 요청하여 함정의 유도 통제 하에 외해나 북방으로 도주하는 발 빠른 간첩선을 색출, 먼저 발견한 작전 요소가 이를 공격하게 된다.

이러한 개념은 비록 공격대상이 간첩선이긴 하지만 지상군, 해군, 공군의 전력이 일심동체가 되어 합동작전을 펼치는 것인데, 북한 간첩선의 한 가지 큰 공로가 있다면 우리 측에게 3군의 전력이 동일한 전술적 목표를 위해서 다양하게 협조하고 실행하는 능력과 기량을 개발하게 하여 주었다는 점이다.

꼬마배의 어려움

당시 나는 해군의 한 지휘관으로서 해상대간첩작전 면에서 가장 기대를 걸었던 전력은 고속정편대였다.

왜냐하면 이미 언급한 바와 같이 이들의 고속 기동력과 근거리 화력이 우세하였으며 소형의 쾌속정으로 동해 연안 어디에나 접근할 수 있는 능력을 갖추었기 때문이었다.

그러나 고속정은 비좁은 선체공간으로 인해 함내 생활 여건이 매우 열악하였다. 무엇보다 소형함정임으로 해상에서 함정 동요가 심하고 해상이 잔잔할 때라도 고속으로 기동할 때에는 온 선체가 바닷물을 뒤집어써야만 했다. 먹는 것, 잠자는 것, 쉬는 것, 모든 것이 힘들고 어려운 게 고속정 근무이다.
그러나 이들이 북방접적해역이나 해상대간첩작전 면에서 차지하는 비중은 매우 큰 것이다.

나는 사령관으로 재직 중 이들 고속정 승조 장병에게 지대한 관심을 기울였다. 열악한 여건 하에서도 이들이 상시 출사 준비 태세를 잘 유지하지 않고 있으면 연안에서의 작전은 처음부터 실패할 수밖에 없기 때문이었다.

주기적으로 이들이 머물고 있는 항포구나 전진기지를 찾아가

이들의 어려움을 해결하고 이들과 직접 대화하고 격려하는 것
은 나로서는 매우 중요한 과업이었다.

나는 사령관으로 재직하는 동안 평상 근무 시에 늘 고속정 요
원이 착용하는 고속정복을 착용하고 근무하였다.
고속정 정장들은 홍안의 위관장교들로서 해군에 들어와 최초
의 지휘관 생활을 하는 기간임으로 충분한 경험을 가진 중견장
교들이 지휘하고 있는 함정과는 여건이 매우 다르다.

사진2. 고속정복을 착용한 평상 근무 시의 저자

최초의 위관 지휘관인데다 함상생활 여건이 너무 어려운데 이들에게 주어진 임무는 지속적 긴장을 강요하는 화급한 것이다. 더구나 일반항포구에 대기하고 있을 때는 현문(함정의 출입문)을 나서게 되면 민간인들과 접촉하게 되어 있다.

나이 어린 수병들에게는 참기 어려운 유혹들이 바로 옆에 있는 것이다. 그럼에도 불구하고 언제 어느 때 출격명령이 내릴지 모르는 5분 또는 15분 대기태세를 유지하여야 하는 것이다.

고속정 정장에게는 실로 어려운 환경 조건과 무겁고 화급한 임무가 등에 메어진 것이다. 그러나 그들은 모두 너무나 임무를 성실히 수행해 주었다.

그들은 한 번도 작전수행 면에서 나를 실망시킨 일이 없었다고 기억한다. 나는 사령관시절 예고 없이 많은 순찰을 하였다. 특히 고속정을 많이 찾아갔다. 왜냐하면 그들의 생활여건이 매우 나쁘고 이들은 언제나 공군전투기처럼 출동할 태세 하에 있어야 하기 때문이었다.
나는 3년의 사령관 근무시절 고속정 정장은 가르치고 지휘할 부하이지 결코 처벌할 장교는 아니라고 생각하였다.

한 번은 15분대기하에 있었던 고속정에 새벽 일찍이 가 보았다. 정장이 없는 듯하였다. 15분 대기 태세이면 정장이 함정에 다른 장병들과 같이 있어야 했다.

긴급출항 하라고 지시하였다. 사령관 입회 하에 훈련을 하는 것이다.

고속정 「사이렌」이 요란하게 새벽공기를 뒤흔들자 고속정의 요란한 기관시동소리가 군항의 새벽을 깨뜨린다.

정장은 대위인데 중위인 장교가 「사령관님! 정장님이 지금 부재중이신데 제가 지휘하여 출항하겠습니다. 허가하여 주십시오.」 하는 것이었다.

내가 「자신이 있는가?」 하고 물었더니 그는 「정장님은 평소에 저에게 조함기회를 자주 주시면서 "정장 전사 시에는 너의 차례야!" 하시었습니다.」 라고 용감하게 이야기하는 것이었다.

정장의 출항명령만 내리면 고속정이 출항할 수 있는 태세가 되었다. 이때 부리나케 뛰어오는 한 장교의 모습이 부두 정문에 보였다.

노랗게 질린 정장은 숨을 몰아쉬면서 고속정의 함교에 올라왔다. 그는 「사령관님 죄송합니다. 어젯밤 늦게야 아내가 진해에서 도착해 나가 있었습니다.」 매우 사랑스런 홍안 후배의 거짓 없는 모습이었다.

부장은 「정장님! 긴급출항 준비가 완료 되었습니다.」 라고 보고한다.

정장은 「사령관님 출항하겠습니다.」 한다.

「그래, 방파제 밖에까지 나가자.」 하였더니 정장은 고속정군의 맨 안쪽에 계류되어 있는 고속정을 맵시 있고 날쌔게 빼어내더니 방파제 입구를 향하여 회두하자 침로를 바로 잡는다.

전 승조원의 출항행동은 민첩하였고 자신에 넘쳐 있었다.

나는 가슴이 후련하고 뿌듯함을 느꼈다.

방파제 밖으로 단숨에 출항한 고속정 정장은 「최고 속력으로 기동하겠습니다.」 한다. 그 고속정은 이미 최고 속력을 구사할 수 있는 사전준비를 하고 있었다.

「됐어! 평상속도로 입항해!」 나는 이 상황에서 정장의 권위를 손상하지 않는 방법을 모색해야만 하였다.

나는 이들의 사령관이지만 아직 이들 홍안의 부부들에게 쉴 수 있는 공간도 마련하여 주지 못하고 있는 답답한 지휘관이었다.

고속정은 접안계류도 매우 맵시 있게 하였다. 부두에는 인접고속정의 정장 2명이 나와 있었다.

나는 고속정을 하함(내리는 것)하면서 「0 대위 부인이 놀랐겠어! 긴급출항 태세가 매우 우수하였다. 이제 사령관이 바로 부두 근처에 자네들이 기거하고 쉴 수 있는 아파트만 마련하는 일이 남았구먼!」 하면서 차를 탔다.

그 정장에게는 구차한 열 번의 꾸중보다는 새벽녘에 사령관이
그 고속정에 예고 없이 가보았다는 것이 몇 배 더 아픈 꾸중이
라고 생각하였다.

나는 돌아오는 승용차 속에서 어떻게 부두 가까운 곳에 이들
후배부부들을 위한 예쁜 아파트를 빨리 지을 수 있을까 하고
깊은 사색에 잠겼다.

사진3. 고속정 배치 기지를 다녀오면서

망상(望詳)의 파도소리

취약시기의 밤 자정이 가까워오면 취약해역에 나가 잠복하고 있는 고속정편대장으로부터 기상보고가 온다.
해상이 잔잔하면 이 보고는 생략되고 해상상태가 약화되어 간첩선이 행동할 수 없다고 판단되면 기상상태 보고와 함께 항구로 귀항을 건의하는 보고이다.

나는 깊은 밤에 운전병과 함께 「망상휴게소」를 자주 찾아갔다. 「망상휴게소」는 동해시와 강릉시 사이 동해 고속도로변의 망상 해수욕장 북단 구릉지대에 위치한 아주 작은 휴게소이다. 이 휴게소에서 바라다보는 동해의 경치는 너무나 웅장하고 시원한 정경이다.

숙소에서 관용차로 10분간의 거리인데 내가 주로 달도 없는 야밤에 망상휴게소를 찾는 이유는 동해의 정경을 바라보기 위하여 간 것이 아니라 파도소리를 듣기 위하여 간 것이다.

고속정 편대장으로부터 기상보고에 접한 이후 해상상태를 확인하기 위하여 파도의 크기를 보고 파도소리를 들어 해상상태를 확인하기 위한 것이다.
파도를 볼 수 없는 캄캄한 밤에는 파도소리만을 듣는다.
해상상태가 거칠면 파도소리가 커지고 파도가 넓은 망상 모래

해안에 깨어지는 소리의 주기가 길어진다.
나는 간첩선이 행동할 수 없거나 고속정이 잠복할 수 없는 해
상상태일 때의 어떤 기준을 머릿속에 담고 있었다.

동해안의 기상상태는 독특한 국지기상의 특성을 갖는다.
높은 태백산맥으로 인한 기상현상이다.
분명히 TV 기상방송은 매우 양호한 기상이라고 예보하는 데
에도 동해안은 갑자기 심한 바람과 풍랑이 일 때가 많다.
그리고 기상의 급격한 변동이 심한 게 동해연안 기상의 특성
이다.

사진4. 망상의 파도소리

당직참모들의 안이한 판단으로 쓸데없이 고속정 요원들을 고생시켜서는 안 되었기 때문에 기상상태가 애매할 때에는 나는 「망상휴게소」에 가서 최종결심을 하였던 것이다.

나는 늘 고속정 승조장병들의 편이 되고 싶었고 또 그렇게 되기 위하여 무척 노력하였는데 그때 그들은 과연 나를 얼마나 그들의 편으로 생각하였는지 지금도 궁금하게 생각하고 있다. 그리고 그들과 너무 빨리, 그리고 갑작스럽게 손도 흔들어보지 못하고 헤어져야만 했던 일이 지금도 나를 안타깝게 한다.

해군을 떠난 이후 나는 그 당시 고속정 정장 몇 사람에게 전역 인사 편지를 보냈다. 답신이 왔는데 그 중에서 당시 고속정 정장의 한 부인이 보낸 사연을 여기에 소개한다. 봉투에는 1987년 7월 27일의 소인이 찍혔다. 내가 전역한지 1개월이 채 못된 시점의 것이다.

사령관님께 올립니다.

찌뿌듯한 날씨에 사령관님, 사모님, 모두 건강하신지요?
지난 금요일 날 너무너무 반가운 사령관님의 편지를 받고는 어쩔 줄을 몰라 했습니다.
편지를 읽는 첫 장부터 바보같이 자꾸 눈물이 앞을 가려 다시 읽고, 다시 읽고를 되풀이 하였습니다.
아마 저는 울보인가 봅니다.

지난 얘기지만 동해에서 사령관님께서 떠나실 때 가시는 모습 보지 않고 집에 있으려 굳게 마음먹었는데 도저히 가만히 있을 수가 없어 급하게 아이와 같이 터미널에 나가서 보니 사령관님과 사모님께서 참모님들과 함께 담소를 나누시는 모습을 보며 뒤쪽에 숨어 있었어요. 그런데 왠지 자꾸 자꾸 눈물이 나와 울고 있는 제 모습을 아이 아빠가 보고 사령관님 가시는 모습이라도 뵙고 전송하라고 하여 막 떠나는 차 앞으로 급히 나가 제대로 인사도 못 드리고 손만 흔들었습니다.

동해에서 저희 부부는 사령관님으로부터 큰 은혜를 입었음에도 불구하고 진해에 와서도 자주 찾아 뵙지 못하여 죄송합니다.
항상 찾아 뵙고, 가까이에서 전화 드리고픈 마음은 언제나 마음속에 가득 했으나 혹시 폐가 될까봐 망설여지는 마음이 많았습니다.

그리고 진해에 계시는 동안 저희 집에 꼭 모시고 싶었는데 그러지 못한 점도 아쉽습니다. 진해로 이사 왔으나 저희 살 집이 해결이 잘 안 되어서 사령관님께 빨리 전화도 못 드렸습니다.

지금은 전셋집을 구하였으니, 사령관님께서 진해에 오시면 꼭 저희 집을 방문하여 주십시오. 큰 아이는 사령관 할아버지 보고 싶다고 합니다.
아이 아빠도 사령관님의 배려로 건강하게 잘 지내고 있답니다.

사령관님께서 저희들을 생각해 주시는 깊으신 마음과 큰 은혜를 어찌 다 보답하여 드리오리까?
저는 지금도 처음으로 사령관님 뵈었을 때의 그 인자하신 모습이 눈에 아른거립니다.
신축 아파트에 오셔서 더운 물이 잘 나오는지 직접 확인하시고 불편한 점이 없는지 물으시고 항상 신랑과 같이 생활하지 못한 것을 안쓰러워하시던 모습이 생생히 뇌리를 스쳐갑니다.

여러 가지로 부족한 점이 많은 저희들을 귀엽게 여기시고 편지까지 하여주셔서 정말 감사 합니다.

앞으로 저희 부부는 사령관님을 부모님 같이 생각하며 서울 가는 길에는 꼭 찾아 뵙겠습니다. 사령관님을 존경하는 마음은 영원히 변치 않을 것입니다.

앞으로 하시는 일 뜻대로 되시길 항상 부처님께 기도 드리며 부처님의 자비가 사령관님과 온 가족에 함께 하시기를 마음속 깊이 빕니다. 항상 건강하십시오.

1987 . 7 . 29

0 0 엄마 올림

땅과 바다의 조화

책임해역방어를 위해서는 삼군작전요소의 유기적인 협조를 바탕으로 한 3군 합동 작전능력이 매우 중요하다.
연안방어에 임하고 있는 육군, 방대한 동해 책임해역을 지키고 있는 해군, 그리고 사태발생시 신속하게 출격하는 공군, 이 삼자의 합동적전 능력은 필수 불가결의 요소인 것이다.

다행히 당시 연안방어를 담당하고 있는 육군, 그 지역 공군 비행단장, 그리고 나는 모두가 같은 해에 육해공군 사관학교를 졸업한 동기 장성들이었다.

합동작전능력 발전의 제일조건은 각 구성군부대 지휘관 및 핵심 참모들의 이해와 협조수준이 이를 결정한다.
사단장, 해역사령관, 비행단장은 가끔 만날 수 있었고 서로 존경하고 이해하여 적극적으로 협조할 것을 다짐하였다.

해군과 공군 간에는 공해합동작전교리 개발 때문에 비교적 잦은 참모교류가 있었으나 육군사단과는 사령부가 멀리 떨어져 있을 뿐만 아니라 참모교류의 기회가 많지 않았다.

그러던 중 아주 좋은 기회가 왔다.
1984년 9월 북한이 수재물자 인도를 하게 되었는데 동해지역에는 북평항이 인도인수 항구로 지정되었다.

동해지역의 수재물자 인도 및 인수에 대한 군의 지원 작전 계획이 하달되었는데 동해지역의 지역사령관은 북평지역을 관할하고 있는 육군의 사단장이 임명되었다.

북한의 수재물자 탑재상선이 북평항에 도착하기 약 1주일 전에 육군의 사단장이 우리부대를 방문하였다.

사단사령부는 대관령 서부에 위치하고 있었다. 사단장은 이번 수재물자 인도 및 인수에 관한 군의 지원 작전은 주로 해상에서 이루어질 뿐 아니라 인수항구가 북평항으로 작전기간 중 사단지휘소를 동해지역으로 임시 이동하여야 함을 말하고 수재물자 선적선박들의 이동에 관한 원활한 정보교환을 위해서도 바로 해역사 인근에 그 위치를 정하여야 하겠다는 뜻을 밝히면서 임시 사단지휘소 설치를 위하여 해역사의 연병장을 사용할 수 있도록 협조를 구하였다.

나는 얼마만큼의 인원과 장비가 동원될 것인가를 확인하고 우리 부대가 지원 가능하다고 판단되어 첫마디에 연병장에 「텐트」를 칠 것이 아니라 해역사의 기존시설을 지원하겠다고 하였다.

그때 사단장은 매우 의외라는 표정을 지으며 만족을 표시하였다.
사단장과 기간 참모요원 및 지원 병력이 장비와 함께 이동하
여 왔다.

나는 사령관실을 사단장에게 내어주고 참모장실로 이동하였으
며 육군사단사령부의 모든 참모요원은 참모기능별로 유사기능
의 해역사참모들과 같은 방에서 근무하게 하였다.
그리고 통신함소와 상황실은 합동으로 운용하게 하였다.

해역사령부 옥상에는 육군 2성기와 해군 1성기가 나란히 나부
끼기 시작하였다.

사진5. 지/해 합동 작전 시 사령부 옥상의 육군/해군 장성기

성질 급한 나의 참모 중 한 사람은 나에게 찾아와서 "사령관 님 어찌 이럴 수가 있습니까?" 하고 불만을 토로하였다.

나는 그에게 다음과 같이 이야기 하였다.
"이번 작전은 국가적으로 중요한 1주일 간의 시한부 작전이 다. 그리고 육군의 사단장은 작전기간 중 지역사령관으로 임명 된 지휘관이시다. 그 분은 우리 사령부의 연병장에 「텐트」를 치고 임시 지휘부를 설치하겠다고 하였으나 나는 이에 반대하 고 기존 우리시설을 함께 사용할 것을 내가 제안하였다.

언제 해역사 참모들이 육군사단 참모들과 함께 근무하여 볼수 있는 기회가 있었는가? 이번 기회는 해역사 참모들과 육군의 사단 참모들이 서로 이해를 깊게 하고 동상 동몽할 수 있는 매우 좋은 기회이다.

해역사 참모들은 사단작전을 배우고 사단참모들에게는 해역사의 해상작전을 이해시킬 수 있는 절호의 기회가 이 이상 어디에 있겠는가?

그야말로 이번 기회에 해역사 참모들과 사단참모들은 서로 이해를 돈독히 하고 협조의 차원을 높여 절친한 친구가 되어야한다."

나는 육군사단 참모들에게 최선의 편의와 친절을 베풀고 적극적으로 협조하여야 한다고 강하게 지시하였다.

해역사 상황실은 급기야 지해합동작전 상황실이 되었다.

수재물자를 선적하고 출발한 북한화물선단이 조기에 포착되어 이동상황을 시시각각으로 확인하고 북방경계선을 넘어선선단을 지정 항구에 안내하여 민관군의 긴밀한 협조로 계획된기간 내에 하역을 완료시켰으며 선단은 다시 출항하여 북한으로 되돌아가고 지원 작전은 성공적으로 종료되었다.

육군 및 해군 지휘관과 모든 참모들이 한자리에 앉아서 작전
에 관한 제반문제들을 협의하고 실행하였다.

상급부대에 대한 제반보고는 해역사 통신함소에서 육군사령부
와 해군상급사령부에 동시에 보고되었다.

그림6. 남하 중인 북한 수재물자 탑재 선단

수재물자 인도 인수 지원 작전을 계기로 하여 사단참모들과 해
역사 참모들은 한 가족이 되었다.

작전이 종료되어 헤어지던 날 육군사단의 부사단장은 통째로

「훈제구이」한 커다란 돼지 한 마리와 마실 것, 먹을 음식을 한 트럭이나 가져와 양 지휘관과 참모들이 열광적으로 어울리는 한판 잔치가 벌어졌다.

합동작전이란 상호간의 전술교리를 이해하는 것도 중요하지만 무엇보다 더 중요한 것은 작전에 임하게 될 각 군의 작전부대 지휘관과 참모들 간의 이해와 협조정신 여부가 관건이라는 사실을 이번 기회를 빌어 실감하였다.

사진7. 작전을 마치고

양군의 참모들이 작전협조를 위한 전화통화를 할 때에 「김중령! 나야!」하고 통화할 수 있는 관계 때와 「00 사단 작전참모이십니까? 나는 해역사 작전참모입니다.」하고 통화 하여야 할 때와의 합동작전성과는 차이가 크다고 본다.

북한의 수재물자 인도 인수의 기회는 동지역에서 육군사단과 해역사 참모 간에 인간적인 관계를 새롭게 형성하는 훌륭한 계기가 되었다.

얼마 후 육군사단을 지휘하고 있었던 상급사령관이 우리부대를 방문하였을 때 수재물자 인도 인수 지원 작전의 성공적 임무수행과 특히 양부대간의 긴밀할 협조에 관하여 칭찬이 자자하였다.

사진8. 육/해군 부하들의 열광적인 합동 헹가래

그 이후 동해지역에서 육군과 해군과의 사이에는 어떤 어려운
문제도 없었으며 서로 무슨 일을 도울 것인가에 대하여 함께
노력하게 되었다.

3. 해전 기량 익히기

군대의 평시 주 과업은 교육훈련이다.

최전방해역을 방위하여만 하는 작전부대는 기초교육이나 기본훈련이 아니라 직무숙달교육과 해상훈련이 중점이 된다.

동해는 특히 해상훈련을 집행하는데 매우 편리하였다. 왜냐하면 항구에서 방파제만 벗어나면 망망대해의 훈련장이기 때문이다.

항구의 자연적 조건은 외해로부터 상당거리의 수로를 경유하여 내해에 깊숙이 위치하는 것이 호조건으로 되어 있다. 이는 항구의 방어목적상 이점이 된다. 그러나 이와 같은 조건의 항구에서는 함정이 외해에서 훈련하기 위해서는 상당한 거리를 항해하여 일단 외해로 나아가야 하는 번거로움이 있다.

그러나 동해는 이러한 점에서는 매우 유리하였다. 각 유형함정 장 및 참모들이 사판실(모의훈련을 할 수 있게 고안된 도상연습실)에서 교리의 이해와 숙달 및 모의전술 기동에 관한 토의를 실시한 이후 명령에 의하여 출동한 각 유형함정들이 방파제를 빠져나가자마자 진형을 형성하고 기동훈련을 개시한다.

서로 성능이 상이한 함정들이 하나의 전투군을 형성하여 기동훈련, 사격훈련, 대잠훈련, 대수상전투훈련, 대공방어훈련 등 각양각색의 훈련을 반복하여 실시하였다.

우리는 예정한 훈련보다는 즉응훈련이 대부분이었다.

동해에서의 해상훈련은 장황하게 계획을 세워도 고속정을 포함하는 훈련일 때에는 해상상태가 허용하지 않을 경우 그대로 집행할 수 없다.

특히 나날이 증강되고 있는 고속정편대를 포함하는 종합 전투훈련은 언제 하겠다는 훈련태도로는 충족될 수 없고 기상 상태가 양호할 때에는 언제든지 훈련을 집행한다는 방식을 취하였다. 이와 같은 방식이 수용가능 하였던 것은 바로 코앞에 확 트인 운동장, 즉 훈련장을 가지고 있었기 때문이다.

한번은 국방부 합참 고위 장성의 부대방문이 있었다. 우리 부대의 전투태세를 확인하기 위하여 오신 것이었다.

이를 위해 진해에서도 상급 사령관께서 오셨다. 사령부에서 부대현황과 그 후에 실시될 훈련내용을 보고 드리고 부두에 대기 중인 기함(해상 훈련 시 지휘관이 승함하는 함정)으로 옮겼다. 10여척의 함정들로 구성되는 해상전투부대의 기동훈련을 참관하기 위해서였다.

출항나팔소리가 울리고 출항 15분전 구령이 하달된 출항 직전에 나는 「나의 지휘 위치인 사령부 작전상황실에서 지휘하겠습니다. 기동 전투부대 지휘는 예하부대의 지휘관이 지휘할 것입니다. 훈련 참관 후 안녕히 가십시오.」 하고 인사 드렸더니 국방부에서 오신 고위급 장성이나 나의 상급 사령관님이 같이 나가지 않은가? 하고 의아해하는 표정을 지으셨다.

나는 나의 예하부대장을 그만큼 훈련시켰으므로 자신이 있었으며 구태여 나갈 필요가 없었다. 그리고 합참 및 지상군 상급 사령부에 계신 분들이 왜 해상부대를 지휘하는데 장성이 육상 사령부에 위치하여야 하는가에 대하여 근해 해상작전과 삼군 합동작전의 특성 및 효율적 부대관리를 위하여 그 필요성을 이런 기회에 증명할 필요가 있었다.

사진9. 전투태세 검열관

나의 상급사령관님이 더 잘 영접할 것이고 내가 또 나가 그 사이에서 소위 PR할 필요를 나는 느끼지 않았다.

합참에서 오신 그 분은 그날 약 3시간에 걸쳐서 우리부대의 전투훈련태세를 참관하신 후 「이와 같은 해상훈련을 혼자 참관하는 것이 안타깝다.」라고 한 마디로 칭찬하시고 해군의 참모습을 보았다고 술회하시었음을 훈련 집행 예하 지휘관을 통해서 보고 받았다.

이 같은 결과가 인연이 되어 내가 이 부대를 떠나온 이후 얼마 되지 않아 동해함대는 대통령과 국방부장관을 한 번 더 모시게 된 계기가 되었다고 한다.

사진10. 해상 훈련 현장

4. 늘어나는 살림 꾸리기

왜 장병 아파트는 거기에

현행 작전태세를 유지하면서 단계적으로 증강되는 전력에 대한 지원능력 확충문제는 점점 더 시급하여졌다. 함정도 많아지고 장병들도 늘기 시작하였다. 장병들의 생활을 안정시키기 위해서는 무엇보다 장병들의 주거 공간 신축이 급선무였다.

작전세력 확충에 따른 장병아파트 신축계획은 해군본부의 계획에 의하여 진행될 것이나 우선 동해지역에는 아파트를 건축할 부지마저 마련되지 못하고 있는 실정이었다. 신축용 부지를 마련하여 놓고 아파트 건립을 건의할 경우와 부지확보까지 포함한 건의는 차이가 많을 것이다.

나는 우선 무엇보다도 땅을 현지에서 확보 하여야 하였다. 다행히 해역사에는 과거 해군 묵호경비부 시절 연고를 갖고 있던 일부 토지가 묵호산야지역에 있었다. 원래 묵호는 도시명이 표현하는 바대로 석탄 선적항으로 석탄가루 공해가 심각한 지역이었다.

한편 묵호시를 포함하여 새롭게 시로 승격한 동해시는 묵호와 북평항 사이의 해안 산야지역에 신도시개발을 위한 토지 정비 계획을 진행시키고 있었다.

나는 당시 동해 시장이었던 「석영철」 시장님에게 신시가지의 도시계획지역의 일부 지역과 묵호산야에 위치한 해군의 토지를 상호 교환하여 주도록 협조를 구하였다. 지금 확실한 기억은 없으나 대략 아파트 15동을 신축할 수 있는 부지 규모였다.

절차가 까다로우나 시장은 협조하여 주기로 약속하였다. 시장과 잠정 합의를 한 후 동해시의 신시가지 어디에 해군장병 아파트단지를 정할 것인가에 대하여 나는 골몰하기 시작하였다. 당시 동해시의 신도시 부지 정지 작업은 한참 진행 중이었다.

그다지 넓은 지대는 아니었지만 북평항과의 거리, 시가지와의 인접거리, 도로, 초등학교 위치, 아파트 신축방향과 조망 등을 고려한 아파트 단지를 확정하는 데에는 상당한 시간이 소요되었다.

낮에도 가보고 밤에도 가보고 이른 새벽에도 가보았다.
한 때 수리창에서 근무하는 군무원 사이에서는 사령관이 이른 새벽에 꿩을 사냥하고 있는 것이 아닌가 하는 소문이 나돌았다고 어느 참모가 이야기하였다.
이른 아침 동해바다에서 태양이 채 솟아오르기도 전에 앞으로 장병 아파트가 세워질 후보부지의 산야를 헤매어 다닌 나의 모습을 누군가가 목격하고 전하여진 소문이었던 모양이다. 나는 그때 꿩을 잡으러 다닌 게 아니라 머지않아 우리 해군가족들이 생활하게 될 아파트 단지를 확정하느라고 그토록 헤매어 다녔던 것이다.

드디어 15동의 아파트를 신축할 수 있는 부지가 확정되어 해군 본부에 이를 보고하였다. 그 후 얼마 되지 않아서 본부에서 아파트 신축계획이 시달되었다. 이렇게 추진하여 현재의 위치에 장병 아파트 단지가 마련된 것이다. 우물쭈물하고 있었으면 틀림없이 묵호산야에 정하여졌을지 모른다. 그렇게 되었을 경우 얼마나 나의 후배 가족들이 불편하였을까?

지금 바로 그 아파트에서 살고 있는 나의 후배가족들은 어떻게 느끼고 있는지 궁금하다. 그러나 지금도 나는 해군이 보유하고 있는 아파트 중 이처럼 멋있고 쾌적한 장소에 자리 잡은 아파트는 많지 않을 것이라고 생각하고 있다. 조금 과장한다면 흔히 동해연안에 산재한 콘도형 아파트라고 해도 과언이 아닐 테니 말이다.

그 아파트는 동동남방향이라고 기억한다.
계단식으로 아파트가 건축되었으므로 낮은 층의 아파트는 앞 동 때문에 시야가 가리는 층도 있지만 그 외 아파트 층이나 옥상에 올라가면 사계절 언제든지 동해의 그 장엄한 해돋이를 관망할 수 있게 되었으니 이 얼마나 멋진 아파트인가?
그리고 또 한 가지 내가 중요시 했던 점은 날씨가 갠 날이면 북쪽 전방해역으로 향하는 아빠들이 승조한 출동함정의 모습을 볼 수 있고 경비임무를 마치고 다시 돌아오는 귀항모습도 볼 수 있게 되어 있다는 점이다.
이러한 점은 일면 보안상의 문제가 없는 것은 아니나 이럴 때는 특별히 항로를 조정하는 등 취할 수 있는 대안이 얼마든지 있을 것이다.

사진11. 해군 장병 아파트(바다 쪽에서 촬영)

나는 접적해역으로 침로를 정하고 고속으로 기동하여 북상하는 아빠의 늠름한 출동모습을 확 트인 아파트 창문으로 바라다보며 함정의 모습이 수평선 너머로 사라질 때까지 아빠의 안녕을 기원하며 합장기도 하는 우리들 후배 젊은 해군부인들을 위하여 그곳은 다시없이 훌륭한 장소라고 생각하고 있다.

아파트 단지는 동해시청-북평항간의 대로변에 위치하고 있고 단지로부터 약 100미터 되는 거리에 아이들을 위한 초등학교가 있으며 단지 뒤편에는 바람막이 산이 있고 남쪽으로 고갯길

사진13. 교회

사진14. 성당

을 돌아가면 바로 아빠들의 일터가 있는 곳이다.

나는 시장에게 새로운 해군의 아파트단지에 입주하게 될 해군 가족들이 신도시 발전에 중요한 역할을 하게 될 것이라고 장담하면서 그 장소 일대를 해군에 할애하여 주도록 요청한 것이다. 해군 아파트가 신축되어 가족들이 입주할 때까지도 다양한 「쇼핑」 공간이 아직 생기지 않아 부인들이 불편을 많이 겪고 있었는데 지금은 어떻게 되었는지 궁금하다.
그리고 아파트 단지에 인접한 남쪽 공간에는 종교단지를 마련하여 내가 떠나기 전까지 교회와 법당을 신축하였고 떠날 무렵에 성당의 기공식을 하였다.

나는 이 지역을 함대정신전력 형성에 지대한 공헌을 하게 될 「성역」이 되어야 한다고 생각하였다. 군영 내에서도 종교의 자유는 자유스럽게 보장되어야 하고 종교 간 갈등 없이 믿음과 국가에 대한 충성을 연계시키는 것이 병영 내 종교 활동의 특성이라고 보았기 때문이다.

부대가 확장되면서 군목, 법사, 군신부가 모두 부임하여 부대의 정신전력 형성에 이바지하게 되었다.

나는 어느 날 세 군종장교들과 시간을 같이하는 자리에서 우리

부대의 종합종교단지를 마련하게 된 동기를 밝혔다. 세 군종장교들은 나의 동기를 충분히 이해하여 주었다. 지금쯤은 이 종교단지에는 어린 2세들을 위한 유치원 시설도 마련되었을 것으로 기대한다.

사진12. 법당

잠을 이룰 수 없는 항구

부대의 지원능력 확충계획은 계획대로 진행되었다. 기지 확충용 토지확보, 수리, 보급, 병영, 교육훈련 시설, 지휘부 공간 등이 그 윤곽을 들어내기 시작하였다. 그런데 증강되는 함정의 수용시설은 가용 공간의 제한성과 방파시설의 미비로 어려움이 많았다.

이웃 나라 일본에서는 새로 항구가 개발될 때에는 항구를 중심으로 한 인근해역의 방어에 임하게 될 해군함정과 부대에 가장 안전하고 항구방어목적에 부합한 항구내의 공간을 우선적으로 제공하는 것이 전통적인 관례였다고 일본 서적에서 읽은 기억이 있다.

일본이 결과는 패했으나 세계강국 미국과 제2차 세계대전, 즉 태평양 전쟁을 치를 수 있는 기반과 저력은 이상과 같은 일본 국민들의 성원과 배려에서 그 근거를 찾을 수 있다고 나는 생각하고 있다.

그러나 동해의 OO항은 어떤가? 처음부터 동해지역의 무릉 계곡 일대에서 생산된 「시멘트」를 해외에 수출하기 위한 선적항으로 개발되었다. 거기에 해군이 일부 공간을 활용하게 된 것이다.

원래 항구란 함정이나 선박들의 포근한 요람의 구실이 중요한 것이다.

해상 상태가 악화되거나 장거리 항해 후에 닻을 내리거나 부두에 접안하여 쉬어야 하는 공간이다.
또한 함정이 아플 때나 피곤할 때에 병원, 즉 수리공장 부근의 부두에 접안하여 불가동 상태 하에서 수리하여야 할 공간을 제공하여 주는 곳이다.

그러나 OO항은 그러한 조건을 갖추지 못한 항구이다. 특히 해군에게 주어진 공간은 더욱 열악하다.

해상상태가 나빠지면 함정이 오히려 바다로 나가야 하며 마음 놓고 함정이 불가동 상태로 수리를 할 수 없는 항구이다.

사진15. 성난 파도 (구축함의 높이와 비교)
* 태풍 [브렌더]호 내습 2일 후의 장면

1985년 10월 5일 동해안을 강타하였던 태풍 「브렌더」호의 내습 때는 바다에 나갈 수 없었던 소형보조선들이 파손되거나 좌초(배가 바람 때문에 암초나 육지에 올라가는 상태)된 일이 있었다.

그리고 태풍 대피시기를 잘못 판단하여 미리 바다에 나가지 않고 부두에 접안하고 있었던 대형함 1척이 항내에서 모든 예비 호출마저 끊어져 인근의 창고에서 새로운 로프의 끝을 내어 주어 간신히 어려움을 피한 일도 있었다.

사진16. 태풍 [브렌더]호의 피해

사진17. 보조선의 피해

이날 새벽 나는 보고를 받고 현장에 나가보고 아연실색 하였다. 소위 부두라고 하는 시설에 메어둔 함정이 상하 좌우로 심하게 요동하여 거미줄처럼 메어 두었던 모든 호줄이 거의 다 떨어져 나가 있는 일촉즉발의 상태였다. 갑작스런 돌풍으로 인한 사태였다.

만일 나머지 두어 개의 홋줄이 마저 끊어지면 함정은 불과 10미터 거리에 있는 방파제에 부딪치거나 다른 부두 시설에 부딪쳐 큰 파손을 입게 될 순간이었다.

함정에서 가지고 다닌 예비 호줄을 포함한 모든 호줄은 거의 끊어졌다. 3인치 , 5인치, 마니라/나일론 로프가 다 동원되고 와이어로프까지 동원되었으나 속수무책이었다.
마침 그날 지원창의 당직사관은 보급창에 근무하는 보급 소장이었다. 사태가 급박하니 보급소장은 가까운 보급 창고에 보관된 새로운 나일론 로프의 끝단을 그대로 끌고 나와 함정에 전달하여 그 함정은 구사일생으로 위기를 모면하였다.
외해의 파도를 차단하는 방파제에는 높은 파도가 밀려와 부딪치면서 30여 미터 높이로 하얀 물줄기를 위로 솟구치게 하였다가 솟구친 바닷물이 다시 항구 내로 솟구쳐 떨어진다.

이로 인한 충격과 항구 내 와류현상으로 불규칙적인 나블을 일으켜 부두에 접안한 함정에 심한 요동을 일으키게 한 것이었다.

나는 그날 새벽 방파제 쪽으로 나가 머리를 숙이고 나의 바다
에 대한 오만함을 새삼스럽게 다시 한 번 절감하면서 요동하
는 함정의 무사를 기원하였다. 바로 그 함정은 내가 대령계급
일 때 18개월 동안 함장으로서 근무한 바 있는 나의 마지막 해
상근무 함정이었으며 무척 애착을 갖고 있는 함정이었다.
그 후 그 함정은 진해에 귀항하여 상당한 시일에 걸쳐 그날 항
구 내에서 입은 상처를 수리하게 되었다.

대부분의 수리가 그 당시의 요동 시 손상 당한 함정의 갈비뼈
인 늑골과 선체외판에 취한 수리였다.

국민들은 이러한 부두공간을 해군에게 주고 적 간첩선을 잡고
납북어선이 없도록 하며 접적해역을 철통같이 지키라고 하는
주문을 한 것이다. 날씨가 나쁜 날이면 취약한 고속정들은
「시멘트」 선적 중인 대형 상선 사이사이에 끼어 대피하여야
했던 해군! 국민들은 해군의 이러한 어려움을 더 이상 외면하
여서는 안 된다고 생각한다.
그동안 항구 시설이 얼마나 개선되었는지 알 수 없으나 OO항
은 구조적으로 그와 같은 취약성이 있으므로 이에 대한 대비책
은 다각적으로 강구되어야 한다고 지금도 생각하고 있다.

사진18. 피해 복구 작업 현장

5. 어민들을 위하여

300미터 바다 속의 오염

우리는 동해지역의 대민지원 사업에도 많은 노력을 하였다. 해군과 해경은 바다를 지키고 해상의 치안을 확보하는 군경집단이지만, 바다가 생활의 터전인 우리 어민들의 생계에 대해 신경을 쓰지 않을 수 없었다.

해군이나 해경은 어떤 경우에는 불가피하게 어선들의 항행이나 어로행위에 대하여 간섭하거나 통제하지 않으면 안 될 경우가 있다. 이는 어선들의 안전조업을 보장하고 어민을 보호하기 위한 조치이지만 어민에게는 귀찮은 간섭으로 받아들여질 때가 많다고 생각되어 진다.

그러나 한편 어선과 어민들을 잘 계몽시키고 교육시키면 이들은 해상에서 매우 중요한 감시요원 구실을 할 수도 있다.

대화퇴(大和堆) 어장의 오징어잡이를 하는 어선단에서 그 해역을 통과하는 외국함정의 동태를 통보해 온 예는 비일비재 하였다.

그리고 해역별 어장에서 조업하는 어선과 어민들은 그 누구보다 더 낯설은 어선이나 의심스런 선박을 정확히 구별하는 능력을 가지고 있다.

또한 조업어선은 방대한 해역에 산재하여 있기 때문에 잘 조직만 된다면 이들은 해상에 위치한 감시초소 역할을 할 수도 있다. 다만 여기에는 중요한 조건이 있다. 그것은 다름이 아니라 조업어선들이 해군을 아끼고 사랑하는 마음을 가지고 있을 때의 이야기이다.

어민들이 이와 같은 마음을 가질 때 월선조업을 자제하게 되고 납북사건을 미연에 방지 할 수 있으며 해상에서 조업하는 모든 어민들의 두 눈은 감시의 기능을 더불어 갖게 되는 것이다.

이와 같은 여건 조성은 해군이 먼저 발 벗고 나서야 할 문제였다.

1984년 늦가을 북방기지에 출장 갔던 한 참모가 출장 귀대보고 중 거진 수협 조합장 명의로 된 건의서를 내어 놓았다.

내용인즉 거진 연안은 동절기 연안명태 어장으로 유명한데 해가 더해 갈수록 명태의 어획고가 감소하여 왔다는 것이며 그 중요 이유는 수온, 해류 등의 자연적 조건의 변화도 있으나 보다 큰 이유는 자자손손 대대로 이어져온 명태어장에 수없이 유실되어온 어망이 어장에 침체되어 있어 수중이나 해저에 깔려 있는바, 이 침체망으로 인하여 명태의 수중회유를 방해하고 있는 것이 큰 원인으로 분석되어 거진 수협에서 몇 차례 시도하였으나 국내 민간장비의 제한과 소요예산부족으로 엄두를 낼 수 없다는 호소문으로 해군에 도움을 청하는 건의 내용이었다.

며칠 후 수협관계자를 직접 오게 하여 보다 더 구체적인 설명을 하게 하였더니 지난 10년간에 평균수심 150미터 내지 300미터의 수중 및 해저에 유실된 침체망이 2만여 톤에 이른다는 것이며 이 침체망이 명태어군의 어장진입을 방해할 뿐만 아니라 새 어망을 수중의 부유침체망이 끌고 들어가는 이중의 피해를 주고 있다는 것이었다.

그리고 명태어획고의 많고 적음에 따라 거진 일대 어민들의 생활수준이 좌우되는데 해군의 지원이 절실히 요청된다는 설명이었다.

나는 관계참모들에게 지원가능여부와 방안 등을 신중히 검토하도록 지시하였다.

검토결과 해군구조함정의 지원이 있을 경우 시험적으로 침체
망 인양작업을 시도할 수 있다는 결론이 내려졌다.

나는 상급부대에 동해 북부 연안해역의 침체망 인양 대민지원
사업계획을 보고하고 구조함정의 지원을 건의하였다.
국방부에까지 보고된 이 대민지원 사업은 익년 해상상태가 비
교적 양호한 4월부터 6월까지에 실시하는 것으로 허가되었다.

다음해 4월이 되어 마침내 구조함정이 우리부대에 파견되었
고 관계자들의 연이은 사전회의에 의한 작업계획이 수립되어
인양작업이 개시되었다.

개략적인 작업요령은 다음과 같다.
우선 수협 측에서 민간회사에 발주하여 제작된 1톤 중량의 끌
개(앵커모양의 것)와 1.5인치 「와이어로프」를 구조함의 예
인 및 인양장비에 연결하여 원로 어부들이 가리키는 해점에서
끌개를 해중에 투하한다. 끌개가 해저에 닿으면 구조함은 서서
히 끌개를 예인 하기 시작한다. 한동안 예인 하게 되면 예인와
이어에 장력이 생긴다. 이때에 구조함이 정지하여 구조함의 인
양기가 끌개를 감아 올린다. 끌개는 해중에 헝클어져 깔려있

는 침체망을 걸고 올라온다.

최초의 인양작업에서 대단한 양의 침체망이 인양되었다. 인양된 침체망은 그 뭉치가 너무 커서 구조함의 기중기로 올리다가 군데군데 동여매어 인양하면서 이를 절단하여 운반목적으로 차출된 어선에 적재하여 육상으로 운반하게 된다.

이 작업이 수협자체로서는 불가능한 이유가 1톤 정도 무게의 끌개를 300미터 깊이까지 투하하여 대단한 침체망을 끌개가 걸게 되면 증가된 하중을 예인 하거나 인양할 수 있는 능력을 가진 민간 장비 동원에 소요되는 재력이 없는 것이다.
 최초 제 1차 3개월의 기간 중 약 2,000여 톤의 침체망을 바다 속으로부터 인양하였다. 작업은 대성공이었다.

어민들도 매우 밝은 표정으로 기뻐하였다.
인양된 침체망은 거진 수협 공판장 인근의 광장을 가득 메웠다. 인양된 침체망을 보니 거진 근해 명태어장의 역사를 한눈에 보는 듯하였다.

원로어부들은 어망의 색구를 보고 약 50년 전부터의 어망에서 최근의 어망까지 섞여 있다고 하였다.

사진19. 300미터 바다 속으로부터 인양되는 침체망

그들은 어망의 주 구성요소인 로프의 형태로서 그러한 식별이 가능하다는 것이었다. 마닐라 로프, 서로 질이 다른 나일론 로프 어구에 메어 달려있는 상이한 색구들이 이를 증명하고 있었다.

여기서 명태를 조업하는 어망에 관하여 좀 설명 할 필요가 있을 것 같다.

명태조업은 주낙이라고 하는 낚시조업방법과 어망으로 조업하는 두 가지 방법이 있는데 어망의 색구는 긴 것은 그 길이가 1

킬로미터에 이르는 장방형의 어망인데 이 어망을 해중에 설치하기 위하여 그물 하부에는 수많은 추를 달고 상부에는 부력을 유지하기 위하여 둥그런 유리공과 같은 뜨게를 매달고 있으며 설치 후에는 이를 식별하기 위하여 그물의 양끝에 로프를 연결하고 이 로프의 맨 끝에 해상에 떠있는 표식부표와 깃발이 부착된다.

이렇게 구성된 일식의 그물을 한틀이라고 하는데 이 어망 한틀의 무게가 약 1톤의 무게라고 한다.
이렇게 해중에 설치된 한틀의 어망은 해류에 따라 서서히 수중에서 표류하는 사이에 수중을 회유하는 명태어군들이 이 어망에 걸리게 되는 것이다.

설치 후 일정시간이 경과한 이후 이 어망을 다시 인양하여 명태를 거두게 되는 것이다. 이처럼 해중에 설치된 어망들은 해류나 해상상태 악화 시 유실되는 경우가 많다는 것이며 더구나 유실된 침체망은 그물에 걸려있는 많은 명태들을 동반한 채 수중 또는 해저에 수중표류 또는 산재하고 있어서 이들 침체망이 새롭게 설치된 어망에 걸려 또 다른 피해를 가중시키게 되는 것이다.

거기에다 침체된 어망에 걸려있는 수많은 명태들이 그대로 해중에서 부식하면서 어장을 오염시키고 황폐화 시키고 있다는 것이 원로 어부들의 설명이었다. 그러므로 위에서 침체망 인양 실적 2,000톤이라는 숫자는 2,000틀 분량의 유실어망을 인양 하였다는 의미가 된다.

이 당시 국내에서는 대대적인 자연보호 운동이 진행되고 있었다.
300미터 수심의 바다 속에서도 해중을 심각하게 오염시키고 있는 현장이 발견되었으며 이와 같은 해중의 오염이 어민들의 생계에 커다란 영향을 직접적으로 미치고 있었던 것이다.

문제는 이상과 같은 작업의 결과 이후 과연 어민들의 어획고에 변화가 있을 것인가가 관심의 초점이었는데 역시 어민들이 예측한 대로 1985년도 명태어획고는 크게 증가하게 되었다.

「오줌싸게」의 사연

그런데 여기에는 한 가지 재미있고 뜻 깊은 사연이 있었다.
다름이 아니라 침체망 인양작업 차 파견되었던 해군의 구조함
이 진해에서 올라와 거진 외항에 도착하여 정박하자 거진 어민
들은 「오줌싸게」 함대가 왔다고 하였다는 것이다. 어민들은
일반적으로 해군함정을 크건 작건 함대라고 부른다.

그러니까 바꾸어 말하면 「오줌싸게」 해군함정이 왔다는 뜻
이다.
왜 구조함이 「오줌싸게」 함정인가 하는 사연은 이러하다.

몇 년 전까지만 하여도 명태성어기가 되어 어선들의 월선조업
통제를 위한 함정세력에 이 구조함도 참가하였다. 그 당시는
전투함정의 절대수가 부족하여 구조기능을 수행하는 구조함
도 참가하였던 것이다.

이 구조함은 해상에서 화재를 진압하는 능력도 보유하고 있으
므로 성능이 우수한 소화용 장비를 보유하고 있다. 그러나 구
조함의 속력은 그다지 빠르지 않다. 이 구조함이 경비함세력
이 부족할 때에는 어로보호 작전에 참가하였던 것이다.

내가 대위 때로 기억하는데 전투함에 승조하고 있을 때 이 구

조함과 함께 어로보호 작전에 임한 일이 있었다.

명태어군을 따라 수백 척의 조업어선이 북상하여 통제선을 월선하려 할 때에 속력이 느렸던 이 구조함의 주요 통제수단은 소화펌프로 물줄기를 뿜어대는 수밖에는 없었던 것이다.

그때의 상황은 흡사 데모군중을 해산시키기 위하여 경찰이 물대포 장비를 사용하는 상황과 같은 장면이었다.

추운 겨울철 구조함에서 뿜어대는 물줄기는 월선어선을 저지하는 데에는 한 몫을 하였으나 어민들은 전투함정과는 다른 모양을 하고 있는 물 뿌리게 구조함에 「오줌싸게」라는 별명을 붙여주었던 것이다.

세월이 바뀌어 이 짓궂은 「오줌싸게」 함대가 어민들의 염원사업인 침체망을 인양하여 주기 위하여 조용히 거진 외항에 나타난 것이다.

3개월간의 침체망 인양작업을 성공적으로 수행한 이 「오줌싸게」 함정은 거진 어민들에게는 생계에 직접 도움을 주는 본래의 고마운 구조함으로 탈바꿈된 것이다.

제 1차 침체망 인양작업을 마치고 다시 진해로 떠나던 날 「오줌싸게」 함정은 어민들의 열광적인 환송을 받았다. 떡을 가져온 아낙네, 명태를 가져온 어부, 김치를 담구어 온 아주머니,

정말 감격적인 순간이었다고 함장은 작전종료 신고시 나에게 그 감회를 보고하는 것이었다.

드디어 해군과 거진 어민의 관계가 새로운 관계로 개선되는 획기적 계기가 되었다.

침체망 인양 지원 사업은 그 다음 해에도 실행되었다. 2차 년도에는 3,000여 톤의 침체망을 인양하였고 명태 어획고는 훨씬 더 호전되었다.

사진20. [오줌싸게]의 명예회복 현장

수많은 수협 중 재정상태가 최하위급에 속하였던 거진 수협의 재정상태가 크게 호전되었으며 어민들의 생계에 큰 보탬이 되었음을 수협 간부들이 나에게 알려주면서 감사하였다. 지금도 이 사업은 계속되고 있는지 궁금하다.

그리고 이와 같은 사업은 정부유관기관에서도 문제해결을 위해 대책을 강구하여야 할 것으로 생각된다.

해군을 새롭게 인식하기 시작한 거진 연안 어민들은 명태성어기에도 출어척수를 통제한다던가 조업조를 자율적으로 편성 운용하는 등 스스로 조업규정을 철저히 준수하려는 풍조가 차츰 확산되어갔다.

처녀어장에 들어가다.

해군과 어민의 관계가 새롭게 형성되어가는 1985년에는 휴전 이후 계속 출입은 물론 조업이 금지되어 온 「CF구역」에 대한 조업 가능성이 검토되기 시작하였다.

「CF구역」이란 해상에 설정된 북방경계선 남방해역으로 그어진연안지역에 근접해 있는 어선진입금지구역이다.

이 해역을 특별히 「CF 구역」이라 하여 조업은 물론 진입을 금지하여 왔던 이유는 군사분계선의 바다 쪽 연장선 바로 연안 쪽 인접해역으로 만일 조업 허용 시 통제가 곤란할 뿐만 아니라 전방 연안에 지나치게 근접한 해역으로 우발적 사건이 발생할 수 있는 민감한 해역이었기 때문에 아예 휴전 이후 지금까지 어선의 진입자체를 금지시켜온 해역인 것이다.

CF란 명칭은 문서상으로 남아 있는 기록은 없으나 Cleared Fishery (또는 Cleared Fishing Boat)의 두문자를 따서 불려온 것으로 전해지고 있는 바 어선의 진입불가구역, 즉 육상휴전선의 민통선 내부의 구역과 같은 개념이다.

지역어민들은 이 연안 해역에 대한 조업을 그 동안 수없이 관계요로에 건의 하여왔다고 한다. 그러나 그때마다 해군이 이를 받아들이지 않았다는 것이다.

나는 최전방 예하부대 기지 순찰 시 이 「CF 구역」에 대하여 상세히 관찰하였다.

그리고 만일 조업을 허용한다면 이들에 대한 통제에 어려운 문제는 없을 것인가의 문제와 적의 어떠한 반응이 예상될 수 있을까에 대하여 면밀히 검토하였다. 별로 넓지 않은 해상구역이기 때문에 조업어선을 제한하고 어선들이 우리와의 약속을 잘 지켜주기만 한다면 커다란 문제가 없다는 결론을 내렸다.

더구나 지금의 함정세력은 전과 달리 많이 증강되었고 이러한 조업어선 통제에는 안성맞춤인 고속정 편대가 있었기 때문이었다.

몇 년 전의 해역사 함정세력과 지금의 함정세력은 판이하게 달라졌다. 국민의 세금으로 보다 현대화된 함정세력을 더 많이 확보하게 된 해군이 함정세력이 부족하여 무조건 어선의 조업 가능구역을 규제하여 왔던 시대와는 분명히 다른 착상을 하는 것이 그 당시 해군이 추진하고 있었던 「새 해군상 건설」의 참다운 접근이라고 절감하고 있었다.

그리고 또 한 가지 나로 하여금 자신감을 갖게 해 준 것은 이제 이곳 어민들과 해군과의 관계는 「오줌싸게」와 무조건 월선조업 하려 드는 어민들과의 관계가 아니라는 점이었다.

나는 더욱 구체적인 검토 끝에 CF 구역의 시험 조업을 상부에 건의하게 되었다. 해군의 상급사령부로서는 왜 현지해역사령관은 자꾸만 까다로운 일거리를 만드는가 하는 불만의 소지가 없지 않았다.

그러나 벽지 어민들의 오래된 염원사항이고 여러 제반 상황이 개선되었으므로 긍정적인 사고방법이 오히려 합리적인 것이라고 생각하였던 것이다.

상당한 시일이 경과된 이후 상급사령부에서는 마침내 현지 사령관의 책임 하에 철저한 사전대책을 수립하고 시험 조업을 실시하라는 허가가 하달되었다.

우선 「CF구역」 내에서의 시험 조업이 이루어지게 되었다. 시험 조업이란 휴전 이후 진입하지 못한 처녀어장 「CF구역」에는 과연 어민들이 기대한 만큼의 어획물이 있는가를 확인하고 제한된 어선들을 조업시킬 경우 적 연안의 반응은 어떠하고 우리 측의 해군 및 해경 함정에 의한 통제에는 문제가 없으며 어민들은 약속을 충실히 지키는가 등을 확인하기 위한 시한부 시험 조업이었다.

해군의 고속정 편대, 해경의 경비정, 해군의 전탐기지 인근 육군 초소 그리고 수협 관계자와 어민대표들에게 철저한 사전교육과 약속준수를 당부하고 어민들 스스로 정한 일정수의 어선들을 진입시켜 그들이 그처럼 절실하게 염원하여왔던 시험 조업을 실시하게 되었다.

실로 휴전 이후 28년 만에 우리의 바다이면서 우리 어민들이 들어가지 못하였던 처녀어장 「CF구역」에서 조업이 진행된 것이다. 제1차 조업에서 예상외의 어획고를 올렸다. 특히 이 어장에서는 횟감으로 인기 있는 고가의 광어와 문어가 많이 어획되었다.

북측의 특별한 반응은 없었다. 조업통제에 나섰던 제반 작전요원들은 신중히 작전에 임하였으며 어선들과 어민들은 약속을 철저히 준수하면서 질서정연하게 조업하여 큰 성과를 올렸다. 그리하여 이와 같은 시험 조업을 매년 주기적으로 실시할 수 있도록 결과를 보고 하였다.

지금은 「CF구역」이란 명칭자체가 바뀌어졌는지도 모르겠다.

6. 귀한 손님맞이

나는 지금까지 내가 해역 사령관으로 부임하여 바로 대통령을 모시게 된 1985년 12월 말까지의 2년간 내가 추진하였던 중요한 사업과 업무를 간략히 소개하였다. 이와 같은 업적은 상급 사령부에서도 높이 평가되어 우리부대는 1985년도 대통령 부대표창부대가 되었다.

대통령의 부대 순시 일정이 며칠 안으로 다가왔다. 부대 장병들은 모두가 대통령을 맞이할 준비에 있는 성의를 다 하였다. 같은 날 대통령께서는 동·북부지역에 주둔하고 있는 육해공군의 3개 부대를 순시하게 되어 있었으므로 우리부대에 머무르실 수 있는 시간은 불과 70여분 내외의 짧은 일정이었다.

대통령께 보고드릴 나의 부대 및 작전현황 보고 안은 통보된 일정계획에 따라 25분의 시간을 요하는 브리핑 시나리오가 작성되었다. 이 내용의 핵심은 해군의 전방해역 대응태세 확립을 위한 새로운 전력 운용개념의 추진실적이 어떻게 진행되고 있는가에 초점이 맞추어졌으며 거기에 부가하여 앞에서 지금까지 설명해 온 지난 2년간의 부대 업무실적을 요약한 내용으로 구성된 것이었다.

나는 이 「시나리오」를 대통령의 부대 순시 계획이 하달되자마자 작성에 착수하여 조기에 작성완료된 시나리오를 거의 외우다시피 하였다.

나는 해군작전부대에 근무하던 영관 시절 때부터 브리핑에 능한 장교라는 평을 상급자로부터 들어왔다. 스스로는 이러한 칭찬을 별로 달갑지 않게 생각하고 있었다. 능력 있는 장교라는 의미와 브리핑에 능한 장교라는 뜻은 「뉘앙스」가 다르기 때문이었다.

브리핑이란 그 의미가 담고 있듯이 군대 내에서는 매우 중요한 의사소통의 한 격식이다. 군대의 브리핑은 평상시보다는 전시에 더 중요한 기능을 하는 것이라고 나는 생각하고 있다. 적탄이 빗발치는 전쟁터에서 중대장이 대대장에게 보고해야 할 전투현황보고는 가장 짧은 시간에 보고할 핵심을 보다 간명하게 보고해야 한다.

그래서 군사교리에는 다양한 보고서 서식을 담고 있다. 이와 같은 보고서식은 수많은 전쟁을 통하여 얻어진 경험에서 특정한 상황에 관한 의사소통에는 어떤 항이 들어가야 한다는 필요에 의해 정해진 것이다. 한때 브리핑 행정이 군사문화에서 기인한 것으로 지탄을 받은 일이 있었다. 그러나 같은 브리핑이라도 군대의 브리핑과 군대 외의 브리핑은 그 특성이 다르다고 본다. 군대 브리핑은 경우에 따라서는 시한이 매우 촉박하고 내용의 공개성 여부에 커다란 제한을 받게 된다.

한편, CHART행정이라는 말도 나왔는데 이는 군대 브리핑과는 크게 무관하다고 본다. 많은 군대 브리핑은 CHART가 없거나 오히려 전투상황도를 보조로 쓰는 경우가 많다. 정부행정기관에서의 군대 브리핑 시비, 또는 브리핑 CHART 시비는 군대에서 필수적으로 필요한 의사 소통방법인 브리핑을 그들의 필요에 따라 변질시켜 수용한 것에 불과한 것이라고 본다.

브리핑 시에는 「브리퍼」, 즉 브리핑을 하는 사람이 브리핑 내용을 어떻게 준비하였는가 하는 것이 매우 중요하다. 흔히 하급자들이 작성한 「시나리오」를 읽어 내려가기만 하는 브리핑은 브리핑으로서의 핵심적 가치를 상실한 것이라고 생각한다. 주어진 상황에 관하여 통달하지 않은 이상, 그 내용의 핵심을 간명하게 설명할 수 없을 것이다.

브리핑 이후 어떠한 질문이 나오더라도 명확하게 대답할 수 있어야 한다. 그러기 위해서 브리퍼는 5분의 브리핑을 위해 몇 배의 시간을 준비해야 한다. 내용에 따라서는 몇 십 배의 시간이 필요할 수 도 있는 것이다.

내가 준비한 대통령께 보고드릴 25분의 브리핑 초안은 2년간 해역사령관으로 보직되어 보고, 듣고, 느끼고, 지휘하고, 이행하고, 추진하고, 평가하고, 경험하고, 반성하고 구상해 오던 모든 것들이 포함된 핵심적 요약서였다. 남의 이야기를 듣고 자기가 경험한 것처럼 말재주를 구사하는 사람의 이야기는 직접 모질게 경험하고 체험한 사람이 하는 말솜씨 없는 이야기보다 결코 듣는 이의 가슴에 가까이 스며들 수 없을 것이다.

나는 영관시절 대통령을 모시고 해상에서 해군이 실시했던 대기동 훈련 시 2차에 걸쳐 기함에 좌승하신 대통령과 각계에서 오신 VIP들에게 진행되고 있는 다양한 훈련 상황을 3시간에 걸쳐 소개하는 소위 「아나운서」 임무를 수행한 일이 있었다. 기동훈련이 끝난 후 많은 선배들로부터 KBS에 진출해야 하는 것 아니냐는 칭찬 반 농담 반의 이야기를 들었을 때 나는 그다지 기분이 좋지 않았다. 왜냐하면 이 같은 평은 내가 그 해상기동훈련의 계획단계에서부터 참여해 각종 시범훈련의 내용, 심지어 순차적으로 진입해 온 함정장의 성명, 경력까지 통달하는 데 소모했던 그 많은 시간과 노력에 초점이 맞추어진 칭찬이 아니라 단지 나의 말솜씨만을 언급한 것 같았기 때문이었다. 그 이후 대령으로 진급하여 사령부 참모가 되었을 때도 부대 내 기동훈련 시 똑같은 「아나운서」 임무를 수행해 달라는 모 선배의 요청에 나는 강하게 반발한 일이 있다.

그 이유는 적어도 나와 똑같은 과정을 밟아야 하는 후배들이 더 많이 생겨야 한다는 소신이 있었기 때문이다. 지금 생각하면 그처럼 훌륭하신 선배님의 뜻을 어떻게 거역했는지 그 때의 나를 의심하기도 한다.

대통령께서 우리 부대에 대한 연말 순시 차 방문하시게 될 일정이 이틀 후로 다가왔다. 모든 준비는 순조롭게 완료된 상태였다. 그런데 갑자기 청와대 관계관이 부득이한 사정으로 대통령의 부대 방문시간을 단축시켜야 하므로 25분 예정의 브리핑을 15분으로 단축 시켜야 한다는 것이었다. 내가 파악하고 있던 바에 따르면 3년 전 대통령의 우리부대 방문 시와 똑같은 상황이 벌어진 것이었다. 그 당시도 25분 예정이었던 현황보고가 갑작스런 일정단축으로 더 짧게 조정되어 예정된 보고를 충실히 못했던 것을 분명히 알고 있었다.

나는 청와대 관계관에게 이번 보고는 우리부대 자체에 관한 보고가 아니라 3년 전 대통령께서 해군에 분부하신 해군의 수명사항으로서 새로운 해군 전력운용개념에 대한 해군의 추진실적에 관한 해군적 보고임을 강조하며 다른 행사보다도 사령관의 부대현황보고는 예정대로 해주어야 함을 강조하였다.

청와대 관계관의 주장도 완강하였으나 나는 3년 전의 경우를 다시 설명하며 사안의 중요성을 강조하고 굽히지 않았다. 이 간곡한 희망을 마침내 청와대 관계관은 수용해 주었다. 대신 그는 상부로부터 브리핑 시간 단축에 관한 지시를 수명하고 있었으므로 브리핑 소요 시간은 언급하지 말고 실시하되 가능한 한 20분을 초과하지 않도록 하는데 합의가 이루어졌다.

1985년 12월 1일 드디어 대통령께서 강원도 지역의 육군부대 순시를 마치시고 전용 헬기 편으로 우리부대에 도착하시었다. 그날 대통령께서는 국방부장관을 위시한 군고위급 장성들을 대동하시고 헬기에서 내리시어 도착영접의전 이후 사령관실로 안내되었다.

잠시 후 사령부 상황실로 자리를 옮겨 나는 작전현황을 보고하였다.

대통령의 부대방문에 대한 감사와 환영에 관한 간략한 인사말씀을 드리고 브리핑에 소요되는 시간을 밝히지 않은 체 평시작전, 전시작전 계획, 새로운 해군의 전력운용계획의 추진현황 그리고 일반 부대 현황 순으로 차분하게 보고하였다.
이 브리핑은 내가 군에 들어와서 대통령께 직접 보고 드리는 세번째 브리핑이자 마지막 브리핑이었다.

대통령께서는 몇 차례 고개를 위아래로 가볍게 끄덕이시면서 가끔 메모도 하시었다.
나는 상황에 따라 20분으로 단축 조정된 브리핑 안을 준비하고 있었으나 원래의 초안대로 정확히 25분간 보고를 드렸다.
브리핑이 끝난 이후 대통령께서는 노고치하에 관한 말씀을 주시고 간단한 훈시를 하시면서 이제 이 부대가 유사시 작전에 대비할 수 있는 태세가 되어 있는 듯하다는 말씀을 주시었다.

브리핑이 끝난 이후 대통령께서는 다시 사령관실로 안내되어 수행하신 군 고위 장성들과 환담을 하시었다. 그리고 잠시 후에 수행하시었던 모든 분들이 다과회 장소로 먼저 나가시고 대통령과 나만이 잠시 그 자리에 있게 되었다.
이때 대통령께서는 「정말 수고했어.」 하시면서 몇 말씀 하셨는데 그 말씀 중에는 「이제 이 부대가 함대가 되면 육군의 사단급 나아가서는 군단급 부대가 될 것이고 앞으로 이와 같은 부대가 동서남해에 있게 될 것이며 그와 같은 부대 지휘관중 해군의 최고지휘관이 나와야 할 것이다.」라고 말씀하시는 것이었다.

대통령께서 이와 같은 의지를 표명하시었음은 앞으로 증편될 해군의 부대구조에 매우 고무적인 전망을 기대할 수 있는 것이었다.

잠시 후 대통령께서는 관계관으로부터 두 장의 봉투를 전달받으시더니 그중 1매를 나에게 주시면서 이것은 사령관의 부인에게 전하라고 분부하시고 다른 또 하나의 봉투는 부대장병의 노고를 위로하라고 분부하시면서 하사하시는 것이었다.

그 후 대통령께서는 회의실에 마련된 다과회장에 나가시어 장병들을 직접 만나보시고 격려하신 후 출발의전을 마치시고 헬기에 탑승하시어 출발하시었다.

나는 대통령께서 탑승하신 헬기가 시야에서 사라질 때까지 무사 귀경을 기원하면서 감사하는 마음으로 환송하였다.

나는 행사를 성공적으로 마치게 되었음에 만족하였다. 그리고 사전에 부대에 와서 장병들과 함께 행사준비에 적극적으로 협조하여주신 청와대 관계관들, 강원도지사, 동해시장, 지역보안부대장 그리고 참모장을 위시한 전 장병 및 참모 부인들의 그간의 노고에 깊은 감사를 드렸다.

그날 저녁 나는 그 동안 행사준비에 불철주야 수고하였던 예하부대 지휘관 및 참모들의 노고를 위로하고 성공적인 행사완료를 축하하기 위하여 그들과 함께 석찬(저녁식사)을 하게 되었다. 한참 축제분위기가 고조되려는 무렵 상황실에서 긴급전화라는 연락이 왔다.
전화를 받아보니 그날 대통령을 수행하시었던 한 분의 전화이었다.

그분은 「오늘의 행사는 매우 성공적이었다. 대통령께서도 대단히 만족하신 듯하였고 치하말씀이 많았다. 조사령관, 계속해서 충성을 다 하시오.」하는 매우 간결하고 친절한 전화통화였다.
나는 「감사합니다. 열심히 하겠습니다」하고 대답하고 통화를 마쳤다. 나는 다시 부하들이 기다리는 석찬 장소에 가서 그들의 노고를 진심으로 위로하였다.

회식을 마치고 관사에 돌아온 나는 깊은 명상에 잠겼다. 마음이 무척 기쁘고 흡족하였으나 마음 한 구석이 아쉽고 허전함이 겹쳐지는 듯한 헤아릴 수 없는 기분이었다. 그리고 몹시 피곤하였다.

대통령께서 부대에 하사하신 하사금은 참모장에게 지시하여 장병들의 위로 및 격려를 위하여 사용하게 하고 나의 아내에게 하사하신 하사금으로는 아내와 협의하여 살림하는 부대 하사관 중 생활이 어려운 가정에 도와주기로 했다. 그해 12월 24일 성탄절 전야에 어렵다고 조사된 15명의 하사관 가정을 아내와 함께 방문하여 정부미표를 전달하고 가족들을 위로하였다.

7. 끝 마디와 새 마디

★ ★ ★ ★ ★

그런데 그 행사 이후 전혀 당치도 않은 소문이 내 주위를 맴돌았다. 요지인즉 나의 특별진급이 예정되고 있다는 것이다. 이미 1986년도 진급예정자들이 확정되어 있고 며칠 후이면 진급 발령이 하달될 시점에서 그렇게 될 수가 없는 일이었다.
더구나 장성의 진급이 소정의 과정을 거치지 않고 이루어질 수가 없는 것이기 때문이다.

사실 나는 그 무렵 나의 아내와 함께 조용히 우리의 주위를 정리하고 있었다. 왜냐하면 2년간의 사령관 보직은 임기가 완료된 것이고 이제 다른 곳으로 전임되어질 것이 자명한 일이었기 때문이다.

1986년도 새해가 밝았다. 1월 1일을 기하여 진급자들의 발령도 시달되었다.동기생에서 2차로 장성이 되어 2년간의 해역사 사령관 직무를 마친 것이다. 인사정책상 나는 이제 해군에 몸담고 있을 수 있는 시한은 1년밖에 없었다. 내심 나는 나의 지나친 과욕이라고 할지 모르나 해역사가 함대로 증편되기 위하여 그때까지 추진하여 왔던 대부분의 부대확장사업이 1986년까지 거의 완료하게 되어 있었으므로 이 사업을 나에게 마감하도록 하여주면 좋겠다는 생각을 하고 있었다.

나는 이러한 나의 생각을 해군의 상급지휘관이 우리부대를 방문 하였을 때 참모들이 배석한 자리에서 건의드린 일이 있었다. 지금 생각하면 정말 주제넘은 건의이기도 하였다.
그러나 나의 건의는 관례적으로 진급에서 누락된 마지막 1년을 남겨놓은 장성의 보직을 비교적 한가한 직무에 보직하여 온데 대한 모순점의 지적이었다.
아마 그 건의에 접하게 된 나의 상급지휘관은 당혹하였을지도 모르는 건의였다.

그런데 그 후 얼마 되지 않아 내가 도저히 그렇게 될 수 없다고 단정하여 왔던 일이 거꾸로 되어 내 앞에 나타났다.
1월 28일! 2월 1일부로 내가 소장으로 진급되어서 동해 함대 사령관에 보직된다는 인사특명이 내려온 것이다.

나는 실감이 나지 않았다. 그럼에도 불구하고 나는 1986년 2월 1일 해역사가 함대로 증편되는 날을 기하여 소장으로 진급되었고 초대 함대사령관으로 보직되었다.

그날 나는 손수 소장계급장을 달았다. 그리고 2월 4일 역사적인 함대창설행사를 가졌다. 서울에서는 정보부장님께서 오시어 창설식에 임석하시었다.

사진21. 동해 함대 창설식 I

나는 함대 창설식에서 다음과 같은 취임사로써 나의 근무의지를 피력하였다.

바쁘신 중에도 동해 함대의 창설을 축하하기 위하여 이 식전에 참석하여 주신 정보참모부장님과 공군 전투비행단장님, 그리고 동해출장 소장님, 동해시장님, 삼척시장님을 비롯한 내빈 여러분께 충심으로 감사 드립니다.

친애하는 동해 함대 장병 및 군무원 여러분!

우리는 마침내 지난 2월 1일 역사적인 함대의 창설을 보게 되었고 오늘 감격스런 창설기념식을 갖게 되었습니다.

지난 2년 동안 본 함대의 완벽한 출범을 위하여 불철주야 전력을 다하여 온 장병 및 근무원 여러분의 노고를 치하하며 오늘의 함대 창설을 해군의 전 장병들과 함께 자축하는 바입니다.

(중 략)

이러한 시점에서 오늘의 동해 함대 창설은 동해안에서 해상권 장악의 결정적인 계기를 마련하여 대북한 압도는 물론 장차 선진 조국의 건설과 동시에 대양으로 진출할 기틀을 마련하는 계기가 될 것이며 해양진출의 새로운 전환점이 되리라고 확신하는 바입니다.

친애하는 함대 장병 및 군무원 여러분!

동해 함대가 창설됨에 따라 우리의 책임해안선과 책임해역은 획기적으로 확장되었으며 이에 따라 함정세력 및 병력도 대폭 중강 되어 명실 공히 동해안 전 해역을 장악 통제하게 되었습니다.

이러한 전력의 증강은 전방 접적해역인 동해에서 적의 정규전, 비정규전 도발 시에 하시라도 즉각 대응격퇴 할 수 있는 전투능력의 강화를 의미하는 것이므로 함대 전 장병은 전방 최선봉부대로서의 상시전투태세와 필승의 신념을 굳게 다져 책임해역에서 여하한 적의 도발도 이를 초전에 봉쇄할 수 있는 태세를 갖추어야 할 것입니다.
본인은 2년 전 해역사 사령관으로 취임하면서 「책임해역 사수」라는 지휘목표와 이를 성공적으로 실현하기 위한 지휘방침으로서 「상시출사준비」, 「전투기량발전」, 「지원능력확충」, 「인화단결」의 네 가지를 제시하고 이의 실현 및 발전을 위하여 꾸준히 노력하여 왔던 바, 오늘 함대의 창설에 따라 이러한 지휘 목표와 지휘 방침의 중요성이 한층 가중되었다고 절감합니다.

우리의 책임해역이 광역화되고 3분 운용 개념이 집행됨에 따라 동해에서 적도발 야기시 외부의 지원 없이 완벽하게 저지하여야 한다는 책임이 가중되었고 책임해역사수의 개념은 해역사 시기의 국지적 방어적 개념에서 적극적 공세적으로의 전환을 의미하며 장차 대양으로 진출하여 세계열강 등의 해군력과 어깨를 나란히 할 수 있는 선진 해군력으로 발전시켜야 할 것입니다.

상시출사준비는 우리의 접적해역이라는 특성에 따라 적의 도발이 단시간 내에 종료될 수 있고 적 해상세력의 기동속도가 획기적으로 변화하였으며 책임해역이 확장됨에 따라 사태 진전시 시간적 요소가 전승보장의 1차적 변수가 된다는 점에서 각 전투세력이 최단시간 내에 출동하여 작전에 임할 수 있어야 함을 강조하는 것입니다.

예하 각 해상지휘관들은 상황발생시 즉각 출동 대응할 수 있는 만반의 태세를 강화하여 일단 유사시 몸과 마음을 다 바쳐 적을 섬멸하겠다는 각오를 항상 마음속에 간직하고 사령관의 출사명령을 기다리도록 하여야 할 것입니다.

전투기량발전은 적 도발 시 즉각 출동 전투에 임하여 필승을 보장하기 위하여 우리 해역특성에 적합한 전술교리 및 작전운용개념을 개발 숙달하고 함정에 탑재된 각종 장비의 성능을 최대로 발휘하여 일발필중의 사격술과 통신, 조함 등 전 승조요원이 맡은 바 분야에서 최고도의 기량을 발휘하여 개별 함정과 편대 및 전대의 전투 능력을 극대화 시키는 과정이라 하겠습니다.

새롭게 함대가 창설되면서 신 전력이 편성되어 아직 동해지역의 특성이나 함대의 작전개념 및 전투기량에 익숙지 못한 점이 있을 것으로 우려되고, 지휘 체계, 또는 업무조정 및 협조에 다소의 혼선이 있을 가능성도 배제할 수 없음으로 각 제대별 지휘관들은 이러한 점에 유의하여 창설초기의 과도기에 작전임무수행에 차질이 없도록 각별한 노력을 당부합니다.

또한 함대는 적과 직접 가시거리에서 대치하고 있으므로 단 한 번의 실수나 방심이 곧 바로 적도발의 표적이 될 수 있다는 점을 명심하고 작전해역의 광역화와 전투세력의 증강에 따른 새로운 작전운용 개념을 정립하여 동해에서 가장 효율적인 전술교리를 발전시켜야 하며, 지해공 합동훈련을 통한 합동작전능력의 배양에 노력하여야 할 것입니다. 특히 올해부터 '88년까지 우리의 역사적 국제행사를 저지 방해하기 위한 비정규전 도발이 한층 격화될 것으로 판단되는바 전 함정 특히 고속정편대의 대비정규전 대비태세 강화에 더욱 힘써야 할 것입니다.

지원능력확충은 함정의 보수 및 정비지원과 탄약 유류, 및 식량 등의 물자지원 및 병력의 충원까지를 포함하는 넓은 의미의 개념입니다.

각 함정이 보유하고 있는 장비와 능력은 최대로 활용될 수 있어야 하고 작전개념이 무리 없이 전개될 수 있도록 하기 위해서는 신속하고 정확한 지원능력여부가 필수적이므로 새로 창설되는 군수지원단은 함대의 지리적 특성과 전투양상의 특성을 면밀히 파악하고 평시 및 전시에 지속적이고 효율적인 지원을 실행할 수 있는 체제를 다듬어나가야 할 것입니다.

특히 함정의 보수 및 정비는 함대 예속의 전 함정 및 장비를 완전히 자체 해결 할 수 있도록 기술 및 시설을 발전시키고 물자 지원도 자체지원능력은 물론 유사시 인근 타군부대와의 협조체제를 긴밀히 유지하여 영동지역에서의 군수지원이 유기적으로 이루어질 수 있는 체제로 발전시켜야 할 것이며 이러한 타군과의 협조관계는 함대의 창설과 함께 유기적이고 능동적인 관계가 되도록 재정립하여야 할 것입니다.

마지막으로 인화단결은 본인이 2년 전 해역사령관으로 부임하면서부터 줄곧 강조하여 온 것으로 솔선수범, 상경하애, 사병 기본 복지시설의 개선, 구타 없는 명랑한 내무생활의 정착 등을 내용으로 하는 선진 필수해군건설의 필수 불가결의 요소들입니다.

제 아무리 훌륭한 장비나 훈련을 통하여 연마된 전투기량도 각 단위부대가 인화단결의 자율적 분위기가 없다면 실전에서 효력을 제대로 발휘할 수 없다는 것을 인식하여 각 지휘관은 지속적으로 관심을 가지고 각 부대의 최하위 수병에 이르기까지 철저한 신상 파악과 의사소통을 통하여 항상 부하들이 지휘관을 믿고 존경할 수 있는 분위기를 조성하여야 할 것입니다.

각 지휘관들의 솔선수범, 상경하애 분위기 조성을 위한 꾸준한 노력과 명랑한 내무생활의 정착, 기본복지 시설의 개선을 통한 장병들의 의식개혁 및 사고의 선진화가 지속적으로 추진되어질 때 함대의 인화단결은 고양되고 사기는 충천하게 될 것입니다.

이와 같이하여 인화단결의 목표는 우리 영내에서만 그치지 않고 영동지역 민관군의 인화단결 차원으로 발전 확산시켜야 할 것인

바 대외관계의 중요성은 영동지역에서 해군가족의 획기적 증가에 따라 더욱 높아졌으므로 장병 및 해군가족들은 선진필승해군의 참신한 해군 상을 대외에 전파하여 선도 계몽할 수 있는 자세를 갖추어 나가야 할 것입니다.

친애하는 동해 함대 장병 및 군무원 여러분!

본인은 동해 함대 사령관취임에 즈음하여 신명을 다 바쳐 국가에 충성하고 동해의 방위와 함대의 발전에 헌신 노력할 것을 엄숙히 다짐하며 장병 여러분들은 우리 함대를 선도적 함대로 발전시킬 굳은 결의를 마음에 새기고 각자 맡은 바 소임을 다하여 해군사에 찬란히 빛날 함대건설에 전력을 다하여 줄 것을 당부하는 바입니다.

끝으로 이 식전에 임석하여 주신 해군정보참모부장님을 위시한 내빈 여러분께 다시 한 번 감사 드리며 오늘 이 자리에서 함께 창설 발족되는 예하단위부대의 무궁한 발전과 함대 전 장병의 무운 장구를 기원합니다.

1986년 2월 4일
함대사령관
해군소장 조 충 현

해역사는 함대로 증편되어 새 출발을 하게 되었고 더불어 이성 제독이 되어 함대사령관의 업무를 개시하게 되었다.

나는 해군을 떠날 때까지 왜 어떻게 소장으로 진급되었는지에 대하여 공식적인 설명을 들은 일이 없다. 나도 구태여 묻지 않았다.

그러나 지난 연말 중요행사 이후 내 주위에 떠돌았던 여러 가지 전언은 이제 결코 허무한 소문이 아니었다.

나는 심기일전하여 함대사령관 임무를 더욱 성실하게 수행하였다.

그리하여 1986년 말까지 부대증편에 따른 모든 사업을 거의 매듭지었다.

나는 해역 사령관으로서 2년, 부대증편 이후 초대 함대사령관으로서 1년, 도합 3년간의 일선지휘관 생활을 하였다.

사진22. 동해함대 창설식 II

나는 그 전에 대령 이후의 지휘보직으로서 전대사령관이나 전단사령관의 보임기회도 없이 바로 해역사령관으로 보직되어 3년간의 지휘관 생활을 한 행운아이기도 하였고 그 과정에서 2성제독으로의 진급도 하였으니 나의 해군생활의 절정기가 아니었는가 생각한다.

나는 해역사가 함대로 증편되는 과도기에 함대를 지휘하였다. 현행작전업무도 중요하였지만 부대증편으로 인한 매우 규모 큰 부대 확장사업도 중요하였다.

대부분의 사업은 상급지휘부대에서 계획되어 추진된 사업이었으나 운용 할 주인으로서 관여하여야 할 일은 너무나 많았다.

나는 해군에서 마지막 지휘관생활 3년을 다음과 같이 회고한다.

첫째, 현행작전면에서 적의 간첩선 침투(해가 바뀔수록 침투사건이 감소하였음)로 뚫린 일이 없었고 한 척의 어선 납북사건도 없었으며 접적해역에서의 적도발을 억제하였다.

둘째, 부대확장 사업은 사소한 사업이라 할지라도 더 멀리 내다보는 입장에서 관여하였고 당대에 열매를 거두어들이는 입장이 아니라 훌륭한 씨앗을 성의 있게 심는 마음으로 시종 추진하였다.

셋째, 장병들의 지휘는 솔선수범을 지휘신조로 하고 처벌보다는 설득과 지도를 항상 앞세웠다.

넷째, 현지의 3군 합동작전 능력의 내실화에 진력하였다.

다섯째, 관할해역 연안 어민들과 해군과의 관계개선에 심혈을 기울였다.

여섯째, 해역특성을 감안한 장병들의 전투기량 숙달에 꾸준히
노력하였다.

8. 이별

나는 1987년 1월 8일 함대사령관 임무를 자랑스럽게 그리고 만족스럽게 인계하고 정들었던 장병들, 동해바다, 그리고 가까워지려고 애를 썼던 지역기관장들, 시민 및 지역어민들과 석별의 정을 나누게 되었다.

그날은 좀 추운 날씨였다고 기억된다.
오전 10시 드디어 나는 헤어짐의 예식절차가 되는 초대 및 제2대 함대사령관 이·취임식에서 손수 작성한 다음과 같은 이임사로서 고별인사에 가름하였다.

존경하는 해군작전사령관님, 공사다망하신 중에도 본 식전에 임석하여 주시어 감사합니다.
영동지역 군·관 지휘관 및 기관장 여러분! 추운 날씨인데도 참석하시어 자리를 빛내 주시어 감사합니다.

친애하는 함대 장병 및 군무원 여러분!

오늘 본인은 함대 지휘권을 OOO 제독님에게 인계하고 정들었던 여러분과 고별의 인사를 나누기 위하여 바로 이 자리에 섰습니다.

회고하면 지난 3년간 장병 및 군무원 여러분과 일심동체가 되어 우리에게 부여된 책임해역을 사수하기 위하여 혼신의 노력을 다 하여왔던 지난날이 매우 자랑스럽게 생각되며 본인을 정점으로 하여 일사불란하게 부여된 임무를 성실히 수행하여 온 장병 및 군무원의 노고를 높이 치하하는 바입니다.

시대적 소명을 다하고 있는 동해 함대 장병 및 군무원 여러분!

한반도를 에워싸고 있는 주변 국가들은 끈질기게 자국의 실리를 추구하고 있고 날로 번영 발전하고 있는 대한민국을 새로운 시각 으로 인식하고 있는 반면 북한은 모든 대화 창구를 의도적으로 차단하고 소련중국 밀착정책으로 전환하면서 또 다른 군사도발 의 흉계를 드러내고 있는바 군사력 증편, 전방전개 장비의 지속 적인 증강 및 현대화, 상식을 초월한 심리전 등 무력적화통일의 야욕을 추호도 버리지 않고 있는 북한의 검은 흉계를 우리는 똑 바로 직시하고 있습니다.

성실하게 임무를 수행하여 온 장병 및 군무원 여러분!

이상과 같은 국내외적 상황은 국가보위의 신성한 임무를 맡고 있 는 우리들에게 그 어느 때 보다 더 완벽한 방위태세의 확립을 요청하고 있습니다.

우리 함대장병 및 군무원들은 지나온 3년간 가족과 만나는 시간을 줄이고 자유스럽게 상륙(해군은 외출 외박을 이렇게 표현함)하여 즐기는 시간을 유보하면서 책임해역에서 사태 발전 시 반응시간을 최소로 단축시키기 위하여 불철주야 대비하였으며, 우리들의 이러한 상시 출사준비태세는 지나온 3년간 적의 도발을 현실적으로 억제할 수 있었고 도발 시 응징할 수 있었으며 적이 감히 우리의 바다를 넘볼 수 없는 작전태세 확립에 기반을 이루었습니다. 그리고 우리는 동해안의 전장 환경을 충분히 감안하고 적 해상세력의 전술을 심층 분석하여 이에 대응할 수 있는 전술교리를 꾸준히 개발 시험하여 왔으며 이의 숙달을 위한 전 전투요원, 단함별, 편대별, 전투전대별, 전투기량을 착실히 발전 시켜 왔습니다.

해상전투세력의 전투력을 극대화시키기 위하여 정비능력과 보급지원능력을 꾸준히 발전시켰으며 증강되는 장병들의 복지 향상을 위하여 근무환경 개선은 물론 가족들의 복지향상대책을 꾸준히 추진하였습니다. 또 매우 어려울 것이라고 우려해 왔던 대형함의 야전정비 능력을 '86년도에 확보하고 이를 실현시키는 등 해상전투세력에 대한 지원능력을 효율적인 부대관리를 기하면서 착실히 확충시켰습니다.

특히 지원능력확충에 여러 가지 난관을 무릅쓰고 온 성의를 다하여 온 군무원 여러분의 노고를 높이 평가하고 있습니다.

함대의 정신전력은 상관의 솔선수범, 장병간의 상경하애 정신을 바탕으로 한 인화단결을 최우선 선결요건으로 하여 낙오자를 부축하여 뛰고 어려운 장병을 서로 도왔으며 구타라는 전근대적 지휘법에서 탈피하여 구타 없이 지휘하는 상하관계 형성에 최선을 다 하였습니다. 우리들의 이러한 노력은 지난 해 후반부터 현 시각까지 부대는 증편되어 병력은 훨씬 많아졌으나 영창에 수용되어 있는 불행한 장병이 한 사람도 없는 명랑한 우리들의 병영을 이룰 수 있게 되었습니다.

그리고 영동지역 민관군 유대강화에도 부단한 노력을 하였습니다. 동해연안 어민들의 오랜 숙원사업이었던 명태 침체망 인양작업 지원, 접적해역 조업금지구역의 시험조업개시, 게잡이 조업구역의 확장, 해난구조, 태풍피해 복구지원 등 우리가 할 수 있고 도울 수 있는 일이 있으면 서슴지 않고 지원하였으며 이러한 우리들의 끈질긴 노력은 영동지역 주민들로 하여금 해군에 대한 인식과 이해를 일신시켰다고 확신하며 이와 같이 해군을 새롭게 인식하게 된 어민들은 지난 3년간 그 동안 늘 말썽이 되어 왔던 납북 또는 월선 조업사건 1건 없이 조업규정을 잘 준수하여 동해안 어민들의 의식 개혁차원에서도 큰 성과를 거두었다고 확신합니다.

본인의 지휘의도를 성실하게 따라 주었던 예하지휘관, 참모, 장병 및 군무원 여러분!
우리는 영광스런 함대의 오늘이 있기까지 함대 창설에 온 정열을 다 바쳤으며, 여러분들의 충성스런 뒤따름을 바탕으로 본인은 동해 함대라는 막중한 전투력의 최선봉에서 주저하지 않고 자신 있게 기관차 역할을 충실히 할 수 있었다고 여기며 이와 같은 기회는 본인의 해군생활 30년 중 가장 보람 있고 명예로운 기간 이었다고 가슴 깊이 느끼고 있습니다.

그리고 동해 함대 창설의 지휘임무를 저에게 맡겨 주시었던 해군 참모총장님에게 무한한 감사를 드리고 있습니다.

서로 아끼고 사랑하여 왔던 장병 및 군무원 여러분!
본인은 오늘 이 식전에서 본 함대의 지휘권을 훌륭하신 OOO 제 독님께 인계하게 되었음을 매우 기쁘게 생각하며 여러 장병들과 함께 신임사령관님의 취임을 진심으로 환영하고 있습니다.

지휘권을 인계함에 있어 본인은 3년간 달성한 우리들의 업적을 신임 사령관님께서 잘 평가하여 주시고 먼 훗날 우리들의 후배들 이 공정한 평가를 하여 줄 것을 기대합니다.

잊지 못할 함대 장병 및 군무원 여러분! 본인의 재임 기간 중 여 러분들이 보여준 충성심에 다시 한 번 감사하며 이 시간에도 한 파노도의 해상에서 경비임무에 여념이 없는 많은 전우들의 무운 장구를 기원합니다.

멀리 진해에서 이 식전까지 오시어 이·취임식을 주재하여 주신 작전사령관님께 깊이 감사 드립니다.
그리고 재임기간 중 적극적으로 본 함대를 지원하여 주신 영동지역 군·관 지휘관 및 기관장님께 진심으로 감사 드립니다.

신임사령관 OOO 제독님의 무운장구와 동해 함대의 영광을 기원하며 정들었던 여러분과 아끼고 사랑하여 왔던 동해 함대와의 고별인사에 가름합니다.

1987년 1월 8일

사진23. 초대/2대 사령관 이취임식

사령관 이·취임식을 마친 우리 부부는 동부고속버스를 타고 서울로 향하였다.

1월 달의 대관령은 예측할 수 없는 눈길 때문에 일부러 안전한 버스 편을 이용하기로 하였다. 그리고 귀로에서는 가능하면 조금이라도 신경을 쓰기 싫었기 때문이었다.

우리들의 귀로 동해고속 도로변에서 출렁대는 동해 겨울바다는 그의 장엄함 속에 무엇인가 이야기하고 손짓하는 듯하였다. 조용히 울먹이고 있는 아내를 달래며 나는 그녀의 손을 꼭 잡고 있었다.

사진24. 마지막으로 사령부를 떠나는 저자

동해바다는 고마운 바다였다. 그리고 내가 3년간 지휘하여 온 모든 함정들을 품에 안고 항상 지켜주었다.

바다의 장엄함과 위대함을 가볍게 여기려 할 때에 모진 시련으로 나를 채찍질 하여 주었으며, 바다를 굳게 신뢰하고 거기에서 생존권의 근간을 찾고 있는 수많은 어민들과 친하여지려고 노력할 때에 바다는 나에게 용기를 주었다.

보이지 않은 바다 속의 오염을 개선하고자 할 때 바다는 나에게 전폭적인 호응을 하여 주었으며 병상에 누운 환자처럼 우리들의 손길을 주저하지 않고 받아들였다.

그리고 동해바다를 굳건히 지키려고 혼신의 노력을 다 하려고 할 때에 동해바다는 나에게 해군을 위하여 좀 더 일을 하여야 한다는 기회의 마련에도 결코 인색하지 않았다.

동해바다는 나에게 해양인으로서 바다를 보다 깊고 넓게 이해할 수 있게 하여 주었으며 군을 지휘하는 나의 지휘성품을 보다 호쾌하게 하여 주었을 뿐 아니라 더 멀리 내다보고 더 넓게 생각하여야 함을 늘 일깨워 주었다.
나는 동해바다를 결코 잊을 수 없다.

고속버스가 표고 835미터의 굽이굽이 고갯길 대관령을 넘어서

려 할 때에 나는 웅장한 동해바다를 다시 한 번 보고자 하였으
나 주위의 산허리에 낮게 깔린 구름은 나에게 이를 허용하지
않았다.

나는 동해바다와 3년간의 생활을 마감하고 새로운 임지 진해
로 향하게 되었다.

9. 겹쳐진 이별의 사연

심판

나는 새로운 보직에 부임한지 6개월 만에 이번에는 정들었던
해군과 또 다시 이별을 하게 되었다.
책머리에서 언급하였듯이 『불법무기 소지 및 파기사건』으
로 인한 물의를 일으키게 되어 스스로 사의를 표명하고 해군
을 떠나게 되었던 것이다.

1964년 내가 대위시절 한 호위구축함의 포술장으로 근무할 때
였다.
그 당시 함장이며 사관학교 10개기 선배님이셨던 분이 개인적
으로 보유하고 있었던 cal 45 권총을 함정의 소병기고에 보관
하게 되었다. 이 권총은 당시 함장님이 어디서 가져온 것인지

는 알 수 없으나 개인 보유의 것이라고 하시면서 그 권총으로 사격훈련을 하신 후 포술장이었던 나에게 보관하라고 하신 권총이었다.

그 후 선배님은 전대사령관으로 영전하셔 가셨다가 몇 군데를 거쳐 해군본부에 작전참모부 차장으로 근무하신 후 장성이 되지 못 한 채 전역을 하셨다.
그 분이 해군에 재직하고 계시는 동안 나는 내가 보관하고 있던 그 분의 권총을 어떻게 할 것인가 문의한 일이 있었는데 그 분은 그대로 보관하여 두라고 말씀하셨다.

내가 구축함 포술장을 인계하고 육상근무를 하게 될 때에 함정 정수 속에 포함되지 않은 이 한 자루의 권총을 인계하지 않고 내가 개인적으로 보관하게 되었다.
언젠가는 나에게 맡긴 그 선배님에게 돌려드려야 하였기 때문이다.
이때에 내가 그대로 함정에 보관하여두지 않고 내 개인이 그 권총을 보관하게 된 것이 후에 커다란 화근이 된 것이었다.
그런데 그 선배님이 해군에 계시는 동안은 언젠가는 돌려드려야 할 물건이었으나 그 분이 전역하여 해군을 떠나버린 이후에는 그 권총에 관하여 한 번도 그 분과 연락을 갖지 못하고 내가 계속 보관하게 되었다.

바로 그 문제의 권총이 그로부터 23년 후에 심각한 문제를 일
으키게 된 것이다.

그 권총은 1986년 3월 내가 근무하던 함대사령부에 옮겨졌
다. 그에 관한 사연은 다음과 같다.

나는 그 권총을 집에 있는 창고 깊숙이 보관하였다

그러던 중 1986년 3월 우리는 아파트를 옮기게 되었다.

이때 마침 나는 복무계획을 보고하게 되어 있어서 전후 3일간
의 외박을 허가 받았다. 오랜만에 집에 와 이삿짐을 정리하다
가 그 문제의 권총보자기를 다시 보게 되었다.

그때 아내는 지금도 저것을 부대에 가져가지 않겠느냐고 이야
기 하였다.

나는 이제는 그 권총을 제 자리에 돌려주어야 하겠다고 결심하
게 되었다.

원 소유자가 해군을 떠났으나 그 분은 해군장교였으므로 그 무
기의 원 소속은 해군이라고 생각하고 군에 반납절차를 밟아 돌
려주려고 결심한 것이었다.

나는 그 권총을 직접 휴대하고 귀대한지 얼마 후 병기과장을
불러 해군본부 병기감실에 획득경위와 내력을 설명하고 절차
에 따라 처리하도록 지시하였다.

그 후부터 문제의 그 권총은 부대 내 병기고에 보관 되었다.

이때 이미 나는 이 cal-45 권총을 공개적으로 노출 시켰던 것이다.

그리고는 cal-45 권총에 대해 별로 신경을 쓰지 않았다.
내가 진해 작전사령부 부사령관으로 보직을 옮긴 후 전에 근무하였던 함대사령부 병기과장으로부터 그 권총의 처리가 순조롭지 않다는 보고를 받고 그렇다면 그 권총을 잘 포장하여 장교 중 진해에 오는 편이 있으면 탁송하도록 요청하였다.

마침 해군대학에 입교하기 위하여 진해에 오게 된 영관장교 편에 그 권총이 나에게 다시 되돌아왔다.
이 때부터 그 권총은 또 다시 내 사무실의 시건 장치가 된 캐비닛에 보관하였다가 불법무기 신고 기간에 신고하여 처리하거나 직접 병기감에게 문의하여 가급적 조용히 처리하는 방법을 강구하고자 하였다.

그런데 그 해 3월경이라고 기억하는데 해사졸업식 행사를 앞둔 시점에서 이상한 예감이 드는 전보를 결재하게 되었다.

「대령급 이상 장교에서 불법무기를 보유한 자는 신고하라」는 내용의 전보였다. 물론 지휘부 명의로 발신된 전보였다. 그 전보를 결재 받으러 온 예하장교(이 장교는 전에 내 예하에서 근무하였던 장교임)에게 나는 내가 지금 해군정수에 들어 있지 않은 권총을 1정 보관하고 있는데 이번 기회에 이것을 처리할까 하고 이야기하였더니 그 장교는 대뜸 「부사령관님 이번 기회에 그 권총을 신고 처리하는 것이 좋겠습니다. 보안기관에서 이 사실을 알고 있는 듯합니다.」 하는 것이었다. 충분히 예상할 수 있는 일이었다.

그렇다면 결제한 전보의 내용은 바로 내가 불법무기를 보관하고 있는 사실을 알고 신고하라는 전보였던 것이다.
후에 밝혀진 사실이었지만 그 전보는 내가 보관하고 있던 cal-45 권총에 초점을 두고 발송된 전보였다. 일리는 있었다. 부사령관이 불법무기를 소유하여 오다가 최근 중요한 행사를 앞두고 그 무기가 진해로 옮겨졌다는 사실은 어떤 면에서는 매우 심각한 일이 될 수도 있었을 것이기 때문이다.

나는 잘 됐다 싶었다. 이번 기회에 처리하는 것이 좋겠다고 판단하고 헌병대에 신고하고 반납하도록 권총을 내어주었다.

그러니까 이때에는 나는 불법무기를 자진 신고한 것이 아니라 내가 불법무기를 보유하고 있다는 사실을 알고 신고하도록 추궁되어 신고하게 된 셈이다.

이렇게 하여 가끔 나의 신경을 쓰게 하였던 그 권총은 내가 보유한지 23년 만에 신고되어 헌병대에 보관되었다. 왜 그 같은 불법무기를 보유하게 되었는가에 대하여 헌병대나 보안기관에 정확한 사실을 밝혔다.

일단 불법무기로 신고 처리하였으나 나는 사전에 지휘부에 그와 같은 불법무기의 보유사실에 관하여 보고할 필요가 있었다. 그러나 나는 그렇게 하지 않았다. 한편 지휘부는 지휘부의 보안관계 참모가 부사령관이 그러한 무기를 보유하고 있는 것 같다고 보고하고 행사를 앞둔 시점에서 이에 대한 조치를 건의 받았을 가능성은 충분히 있었다.

그러나 지휘부 역시 부사령관인 내가 보유하고 있는 불법무기 문제에 관하여 일체 언급이 없었다. 그 일이 처리된 후 2~3개월이 지났다. 어느 날 사령부 병기 과장으로 근무하였던 장교가 해군 병기탄약창장으로 영전되어 전속 신고 차 나를 찾아왔다.
나는 전출신고를 받은 후 신임창장에게 헌병대에 보관되어 있는 권총에 관하여 알고 있는지 문의하였더니 그는 모르고 있었다.
나는 내가 개인적으로 보관하고 있었던 권총이 있었는데 그것이 불법무기로 신고되어 헌병대에 보관되어 있으니 그리 알고 문제가 복잡하게 되지 않도록 관심을 가져달라고 당부하였다.

내가 구태여 그에게 이러한 당부를 한 것은 그가 진해지역에서 최고선임 병기 장교였기 때문이었다.

그로부터 상당한 일자가 지난 어느 날 오후 보안관계관이 나를 찾아왔다. 그는 문에 들어서자마자 「부사령관님! 일이 골치 아프게 되었습니다.」 하는 것이었다.

나는 「무슨 일이 또 그렇게 골치 아프게 되었어!」 하고 반문하였더니 「부사령관님이 신고하여 헌병대에 보관하고 있었던 권총이 파기된 것을 알고 계십니까?」 라는 것이었다. 나는 무슨 말이냐고 되물었다. 병기 탄약창에서 그 문제의 권총을 파기시켰다는 것이었다. 그럴 리가 있느냐고 나는 대답하였다. 그러나 그것은 사실이었다.

그 당시 권총을 보관하고 있었던 헌병 책임 장교와 탄약창의 책임 장교는 동기생이었다.

탄약창 책임 장교는 얼마 전 전출 신고 시 내가 한 부탁이 말썽 없이 그 권총을 처리하여 달라는 것으로 이해하였다는 것이며 주기적으로 비파괴 처리절차에 의거 폐기하는 병기를 파기하기 며칠 전 헌병책임 장교와 입씨름 끝에 그 권총을 헌병관계관으로부터 수령하여 모든 기록과 사진을 남기고 사용 가능한 부품을 분해한 이후 권총의 몸체를 파기하였다는 것이다. 병기관리 예규상 그러한 절차가 있는 모양이었다.

그런데 안타까운 일은 불법무기로 신고되어 헌병기관에 보관된 권총을 내어준 헌병책임 장교나 권총을 수령하여 파기한 병기창 책임 장교나 두 사람 모두 사전 또는 사후 나에게 일언반구의 보고도 없었다는 점이다.

보안관계 장교는 이 일이 후속 처리하는데 까다롭게 되어 골치 아프다는 것이었다.

그 후 병기창 책임 장교에게 사실을 알아보았더니 병기 예규상 그러한 절차가 있으므로 문제될 것이 없다고 판단하고 부사령관님을 위하여 그렇게 처리하였다는 것이고 헌병책임 장교는 병기창 책임 장교가 부사령관님의 허가를 득한 일이라고 하여 내어 주었다고 이야기하는 것이었다. 두 사람 중 어느 한 사람이라도 사전에 나에게 알려왔으면 그렇게 될 일이 아니었다. 군 사법기관에 신고되어 보관중인 불법무기가 이유 없이 파기될 수 있는 일이 아니었다. 대수롭지 않게 생각하였던 그 권총은 시종 말썽을 일으켰다.

그로부터 상당기간이 지난 6월 8일 갑자기 해군본부헌병관계관이 나를 찾아왔다. 아마, 비가 내리는 오후였다고 기억된다. 관사를 찾아온 그 장교는 불법무기 소지 및 파기에 관하여 상세한 조사지시를 수명하였다고 하면서 경우에 따라서는 부사령관님께서 심각한 결심을 하여야 할 것 같다는 이야기였다. 예상외의 상황진전이었다.

그리고 며칠 후에 군수사관이 정식으로 조사하기 위하여 내려올 것임을 미리 알리려고 왔다는 것이다.

나는 그 장교에게 심각한 결심까지도 하여야 된다는 내용이 해군 최고지휘관의 의도인가 여부를 따져 물었으나 그는 확답을 하지 않고 주위의 분위기가 그러하다는 애매한 표현을 하고 있었다.
그 영관장교는 결과적으로 군수사기관의 조사에 임하여 달라는 예고와 함께 사건내용이 심각하니 해군을 그만두는 결심까지도 각오하여야 한다는 의도와 분위기의 전달자였다.

비가 내리던 그날 밤 나는 깊은 생각에 잠겼다. 인생은 항상 즐겁고 행복할 수만은 없는 것이다. 또한 역경과 불행은 이를 극복하고자 하는 끈질긴 노력과 신념이 있을 때 기쁨과 행복을 다시 기약해 준다. 비굴하지 말고 태연하게 임하겠다고 결심하였다.

며칠 후 두 사람의 조사관이 나를 찾아왔다. 그들은 먼저 이 사건과 관련된 몇 사람의 장교를 조사한 조서를 나에게 내놓으면서 확인하여 달라는 것이었다.
거기에는 권총을 보관한 헌병책임 장교, 그리고 권총을 파기한 병기창책임 장교를 위시하여 이 사건과 관계된 장교들이 이미 조사에 임하여 진술한 진술서였다.

이 시점에서는 이 사건이 소위 입건된 셈이었다.
나의 개인적인 잘못으로 부하들에게 피해를 주게 된 것이 무엇보다 안타까웠다. 나는 그 내용들을 읽어보지도 않고 그들이 진술한 내용은 모두 틀림이 없다고 하였다. 그리고 그 불법무기를 소지하게 된 경위와 지금까지의 과정을 다시 한 번 상세히 설명하여 주었다.

조사관의 조사 초점은 그 권총의 보유경위와 파기경위였다. 보유 경위는 이미 설명한 바와 같고 파기 경위는 그 권총을 파기한 병기창책임 장교의 진술서 내용에 부사령관님이 그 권총의 파기를 강하게 원하시는 것으로 이해하였으며 또 그렇게 하는 것이 부사령관님을 위하는 것이라고 믿었다고 진술하고 있는 데 대한 확인이었다.
나는 병기창 책임 장교가 그렇게 판단할 수도 있었을 것이라고 확인하여 주었다.

나의 불법무기 소지행위로 야기된 사건 때문에 다른 후배들까지 피해를 입힐 필요가 없었다.
그리고 그 수사관은 사건의 사후 처리에 관한 나의 견해를 물었으나 그 점에 대해서는 내가 수사관에게 언급할 필요를 느끼지 않는다고 하였다.

유서 깊은 함대 사령부 건물 내 장성이 집무하는 사무실에서 얼마 전까지 함대를 지휘하여온 지휘관이 불법으로 권총을 휴대하였다는 이유로 수사관의 조사를 받아야 하였던 나는 해군이 과연 이 사건을 이러한 방법이 아닌 다른 방법으로 해결하는 방법은 없는 것인가에 대하여 강한 회의를 느끼게 되었다.

그날 밤 나는 해군을 그만 둘 것을 아무와도 타협하지 않고 결심하였다. 해군이 지금 나에게 가하고 있는 방법의 양상으로 보아 나는 더 이상 타협의 필요를 느끼지 않았으며 이와 같은 방법을 구상하고 진행시키고 있는 상태에서 구태여 매달릴 필요를 느끼지 않았다.
그리고 그들은 이미 나의 경력, 업적, 계급, 직위, 인격 등에 대해서는 추호의 고려도 않고 있었으며 심지어 장성에 대한 최소한의 예우마저도 고려하지 않고 있는 듯하였다.
그러나 법을 지키지 못한 자가 무슨 할 말이나 이유가 있겠는가?

나는 해군과의 이별을 어느 누구와도 타협하지 않고 홀로 조용히 가볍게, 그러나 단장의 아픔을 느끼면서 결심한 것이다.

큰 이별

나는 작사지휘부에 나의 의지를 전달한 후 해군지휘부에 나의
잘못을 시인하고 나의 결심을 전달하기 위하여 상경하였다.
1987년 6월 12일 나는 상급지휘관을 방문하였다. 나의 불법행
위를 시인하고, 사죄한 뒤 전역의사를 밝혔다. 그때 그 분은 다
음과 같은 사항을 언급하였다.

그 분은 외부에서 강력하게 나오고 있어서 나로서도 어쩔 수
없다는 것과 이 일은 진해에서 일어난 사건이니 작전사 지휘부
가 처리하도록 지시하였으나 「부사령관에 관한 일인데 작사
에서 어떻게 할 수 있습니까? 서울에서 처리하여 주십시오.」
라고 간청하여 사건처리가 불가피하게 이렇게 되었다는 것이
었다.

나는 지휘부에 이 사건과 연루된 우수한 후배들이 피해를 입지
않도록 부탁하고 작년에 나의 해역사 지휘업적을 감안하여 특
별히 추가진급까지 시켜주신 해군에 더 많은 일을 하지 못하고
이와 같이 불미스런 사건으로 갑작스럽게 전역을 하게 되었음
이 너무 가슴 아프다는 이야기를 한 후 나는 지휘부를 나왔다.

그 방에서 나와 통로를 걸어 나오니 인사 관계관이 통로에 서
있다가 잠시 차나 한잔 하자는 것이었다.

나는 미안하지만 아무도 만나기가 싫으니 후에 만나자고 양해를 구하고 걸어 나오려 하는데 그는 나의 팔을 잡으면서 잠시만 할 이야기가 있다는 것이었다. 마지못해 끌려 들어가 소파에 앉으니 차 탁자 위에 무슨 용지가 놓여 있었다. 「이것을 작성하여 주셔야 하겠습니다.」 하는 것이었다. 들여다보니 전역원서였다.

나는 나의 태도를 정리하면서 아! 말로만 해서는 소용이 없지! 「그래 작성하지요.」 하고 펜을 들었다.
글씨가 잘 보이지 않았다.
성명을 기재하고 서명하는 것인데 거기에는 한 가지 조건이 있었다.

전역원서이므로 내가 원하는 전역일자를 적도록 되어있었다. 인사 관계관에게 어느 정도의 여유를 줄 수 있소? 하고 물었더니 6월말로 해야 한다는 것이었다. 나는 스스로 그만 두겠다고 결심한 차제에 통상관례적인 장성의 전역준비기간을 마련하여 줄 것을 지휘부에 건의하여 줄 것을 요청하고 해군본부를 떠나 진해로 돌아왔다. 그러나 끝내 해군지휘부는 이와 같은 나의 마지막 요청을 받아들이지 않았다.

6월 18일 상급지휘관이 나의 사무실에 들어왔다. 그는 의자에 앉자 나의 전역일자가 6월 30일로 결정 됐다고 말하였다. 상급지휘관과 부사령관이었던 나는 그 자리에서 더 이상 다른 할 말이 없었다.

나의 잘못을 시인하고 스스로 전역을 하겠다고 마음을 정한 나에게 해군지휘부는 앞으로 12일간의 시한을 허용하였을 뿐이었다.

불과 한 뼘 남짓한 45구경 권총이 나의 32년간의 해군경력, 이성 장성직위, 그리고 그토록 사랑하였기에 청춘을 다 바쳐 왔던 해군과의 인연을 마감하게 하였다.

나는 바로 아내와 함께 이삿짐을 꾸려야 했다. 진해에서 마지막 날 밤은 비가 내렸다.

나는 아내와 함께 내가 32년 전에 입교하여 4년간 해군장교가 되기 위하여 수많은 손자욱과 발자국을 남겨야만 했던 해군사관학교에 갔다. 사관학교의 사열대에 서서 나는 한참 동안 나의 32년간의 해군생활을 회고하였다.

나는 1934년 11월 1일 전라남도 무안군 압해도라는 섬에서 당시 초등학교 교사로 재직하셨던 아버님, 지금은 작고하신 조동규 씨와, 윤삼옥 여사의 셋째 아들로 태어났다. 이후 전라남도 순천, 해남이라고 하는 바닷가에서 유년기 및 소년기를 보냈다. 나는 다시 아버지를 따라 전라남도 여천군 거문도라는 섬에서 초등학교 5학년 때 해방을 맞이하였으며 그 후 다시 해남에 정착하여 청년기를 지냈다.

1953년도에 광주에 있는 전남대학교 문리과 대학에 진학하였으나 2학년 1학기에 그만 두었다. 바닷가에서 태어나 바닷가에서 자란 나는 해군이 되어 다시 바다로 돌아가 바다를 지키고 바다를 배우며, 바다를 사랑하면서 바다와 함께 살아왔다. 나는 내가 해군생활을 개시하였던 원점으로 다시 돌아왔다. 그 때는 21세 된 홍안의 청년이었으나 이제는 54세의 초로의 제독이 되었다. 나는 나의 해군생활을 여기에서 만족해야만 하였다.

비록 해군을 떠나더라도, 그리고 해군을 떠나는 원인이 나의 잘못으로 인하여 명예롭지 못한 사건 및 절차라고 할지라도, 심지어 내 스스로 해군과의 인연을 단절한다고 할지라도, 해군이 나의 전역의사를 밝힌 지 10여일 만에 떠나달라는 처절하고 매정한 마지막 대우를 하였더라도, 나는 나의 해군생활 32년 만에 붙여진 또 다른 하나의 이름 「초로의 제독」으로서 바다와 해군과의 보다 더 두터운 인연을 맺고 손상된 제독의 명예를 바로 잡아야 한다는 새로운 다짐을 하였다.

관사에 돌아온 우리 부부는 그날 밤 오래도록 이야기하였다.

지금까지 나의 생애에서 그날 밤 아내가 나에게 보여준 깊고 넓은 위로와 따스함을 나는 영원히 잊을 수가 없다.

1987년 6월 19일 그날은 정들었던 진해를 떠나야 하는 날이었다.
비서실에서 신고를 하시겠느냐고 문의하여 왔다. 물어볼 필요가 없는 질문이었다.
오전 10시 정장을 하고 지휘부에 들어갔다.
상급지휘관은 나의 어깨를 잡으면서 바로 의자에 앉도록 권하였으나 나는 그 분의 양어깨를 잡고 늘 신고를 받던 위치에 서게 하고 나도 신고위치에 섰다.

그 분과 나는 2년의 차이가 있는 선후배 관계였다. 사관학교시절에는 2년간 함께 학교생활을 하였으나 실무에 나와서는 해군대학 학생시절 동기생으로서 함께 연구한 기간 이외에는 같이 근무한 일이 없었다.
사관학교시절의 그 분의 인상은 매우 온화하고 부드러웠으며 친근감을 느낄 수 있는 선배이었다.

나는 천천히 전출신고를 하였다.
그리고 입회하였던 후배 지휘관들과 석별의 인사를 나누고 함대 사령부를 떠났다.

나는 그 길로 해군대학과 헌병대에 들려 나의 권총사건과 연루되어 고민하였던 후배들을 만나 위로하고 헤어짐의 인사를 나누었다.

1987년 6월 30일은 내가 해군을 떠나는 날이었다.
아침 일찍이 새하얀 하정복을 차려 입고 전역식을 위하여 집을 나서기 전에 나는 아내와 대학에 다니고 있던 큰딸을 안방으로 불렀다.
내가 만약 명예롭게 전역을 하는 경우였다면 나는 아내와 아이들을 전역식에 대동하였을 것이다. 그러나 지금의 사정은 그렇게 할 수 없었다.

나는 울고 있는 큰딸에게 "오늘은 아빠가 32년간 근무해 왔던 해군을 떠나는 날이다. 아빠가 엄마와 너와 함께 돌아가신 친할아버지와 외할아버지께 인사를 드리고자 하니 함께 인사 드리자."하고 우리 셋은 나란히 남녘을 향하여 대례 이배를 하였다.

지난 32년간 나를 지켜주시고 이만큼 키워 주신데 대한 감사와 새 출발의 인사였다.

같은 날 11시경에 나는 전역하는 3명의 후배장성과 함께 간단히 전역식을 하였다.

사진25. 전역 의전 행사

사진26. 전역 신고

별은 왜, 어떻게 떠서 언제 져야 하는가?

국가를 보위하는 군 장성의 탄생은 명확한 이유가 있어야 하며 탄생된 현역장성의 은퇴는 탄생보다 더 중요하다. 더 해맑은 내일의 새 별을 위하여 조용히 가려져야 한다. 그리고 새날이 오면 더욱 완숙하고 멀리 위치하는 별, 즉 노병이 되어 또 다시 무인으로서의 길을 걸어가야 한다고 생각하는 것이다.

그리고 나의 후배들에게는 나와 같이 어리석은 전철을 밟지 않도록 당부하고 싶으며 모든 군율과 규정은 태산처럼 무겁게 여겨야 하고 진실은 주저 없이 항상 추구 되어야 한다는 사실을 강조하고 싶다.

다시 한 번 모교인 해군사관학교 교훈이 되새겨 진다.

· 진리를 구하자
· 허위를 버리자
· 희생하자

이 얼마나 거룩하고 성스러운 다짐인가?

10. 「후이야 · 요야무」

★ ★ ★ ★ ★

내가 정들었던 해군을 떠나 새 생활을 개시한지 다섯 해가 지
난 1992년 이었다. 해군의 울타리 밖에서 생활하면서도 나는
늘 해군을 아끼고 사랑하는 마음에 변함이 없음을 스스로 확인
할 수 있을 때 나는 든든함과 흐뭇함을 느꼈다.

더구나 가끔 함께 근무하였고 정들었던 후배들이 나를 찾아
와 정담을 나눌 때는 나는 부지 중 다시 해군이라고 하는 울타
리 속에서 나 자신을 발견하곤 했었다.

그러던 중 나는 나를 찾아온 어느 후배와 이런저런 정담을 나
누다가 내가 5년 전 왜 갑자기 해군과 이별하게 되었는가에 관
한 사연을 혹시 알고 있느냐고 물어보았다.

그는 벌써 오래된 일이고 지난 사연이어서 왜 그처럼 전격적으
로 자기들과 헤어지게 되었는지 정확히 알고 있지는 못하지만

선배님께서 미국 가셨을 때 가져온 권총 때문에 문제가 된 것으로 알려져 있다는 것이었다. 그보다 전에 나는 또 다른 후배로부터 내가 그 당시 헌병대에 신고한 권총을 왜 파기 시켰는지에 대하여 문제가 있다 하는 이야기도 들은 일이 있었다.

「미국 갔을 때 가져온 권총!」 그렇다면 미국 가서 권총을 밀반입 아니면 밀수입 하였다는 밀인가? 그래서 그 권총의 파기는 의도적으로 하였다는 말인가?
이 문제는 도덕과 양심에 관한 문제였다.
곰곰이 생각하여 보면 그 권총사건이 발생하고 난 후 정확한 사실은 그 당시 조사에 임하였던 수사관이나, 보안관계관, 그리고 지휘계선상의 지휘관들은 알 수 있었을 것이다.

내가 전역을 결심한 후 그러한 자료가 공개되지 않았다면 많은 후배들은 소문만을 듣고 애매하게 알고 있을지도 모른다. 나는 5년의 세월이 흐른 뒤에도 사실이 사실대로 전해지지 못하고 왜곡되어 있음을 인지하였다.

나는 그 당시 진행시키고 있던 논문작성을 중단하고 지금까지 틈틈이 써 왔던 「나의 지난 해군생활」에 관한 File을 살펴보았다.
이 문제를 해결하는 것이 더 바쁜 일이었기 때문이다. 왜 권총이 파기되었는가의 문제는 이미 앞에서 언급한 바와 같으나 나는 다시 확인하고 싶었다.

전술한 바와 같이 그 사건과 관련된 장교들이 진술한 진술서의 내용을 나는 그 당시 제대로 볼 필요를 느끼지 않았기 때문이다.
그때는 나로 인하여 발생한 일이었으므로 나 외에는 아무도 책임져야 할 사람이 있을 수 없다고 여겼기 때문이다.

나는 며칠 전 지금의 헌병관계관에게 그 당시의 서류가 보존되어 있는지 문의하였으나 관계관은 그때 그 사건은 정식으로 입건되었던 것이 아니었기 때문에 파기되어 없다고 대답하는 것이었다.

나는 당시 현역에 있던 당시 탄약창장을 만나서 그 당시의 기억을 더듬으며 이야기를 들어보았다. 그 후배 장교의 이야기는 이미 기술된 바와 다름이 없었다.

그리고 나서 다시 멀리서 근무하고 있는 그 당시의 헌병대장과 상당 시간의 장거리 통화를 하여 그 장교의 이야기도 들어보았다. 그 장교의 이야기는 이미 기술한 것과 틀린 점이 있었다. 바로 그 점은 그 당시 「부사령관에게 결재하러 들어갔을 때 내가 분명히 탄약창장에게 다 이야기 해 두었으니 권총을 갖다 주라고 지시를 받아 탄약창장으로부터 수령증을 받고 갖다 주었다는 것이다.」

오래된 이야기지만 나에게는 그에게 그 권총을 넘겨주라고 지시한 기억이 분명히 없다. 재차 그렇지 않다고 잘 생각해 보라고 하였으나 틀림없다는 것이다. 벌써 오래된 이야기이니 기억력 면에서는 그가 나보다 훨씬 젊으니까 내가 져야 한다고 생각되나 그 권총이 나에게 미친 결과는 매우 큰 것이었기 때문에 그 당시의 사항은 내 기억도 너무나 뚜렷하다.
그러므로 파기과정은 앞에서 기술한 바와 같으나 그 권총이 탄약창장에게 가게 된 내용은 상이하게 된다.

그렇다면 이와 같이 상이한 두 사람의 기억은 그 당시 헌병대장에게 내가 나의 의도를 정확히 전달하지 못하였거나 아니면 헌병대장이 나의 의도를 정확히 이해하지 못하였던가 하는 둘 중 하나가 된다.
그 권총을 그러한 방법에 의해서 의도적으로 파기처리 하려 하였다면 내가 왜 구태여 그처럼 공개하여 처리하려 하였겠는가?

문제의 그 권총은 보안부서에서 이미 알고 있는 불법무기이다. 그와 같은 무기를 함부로 자리를 옮겨 파기시켜야 할 만한 이유가 아무리 찾아도 없다는 것이다.

그 당시 문제의 권총을 그러한 방법으로 파기한다고 하여 23년간 불법으로 소지한 죄과가 없어지겠는가?

이러한 공개적 절차가 아닌 처리 방법은 얼마든지 있었던 것이다. 그러나 나는 그러한 방법은 안 된다고 처음부터 생각하고 있었다.

이 문제는 권총의 출처가 뒷받침하여 준다.

만일 권총의 출처가 지금까지 내가 진술한 바와 상이한 부정의 것이었다면 또 그러한 나쁜 방향의 추측이 가능할 것이다.

그 문제된 권총의 출처가 지금까지 내가 설명하여 온 내용이 사실인가 아니면 허위였던가를 가리는 것이 이 의심을 더욱 선명하게 해명하여 주는데도 도움을 줄 것이다. 그러나 권총의 출처는 내가 설명한 그대로이다.

이는 최근에 다시 밝혀진 다음과 같은 애절한 사연이 이를 증명 한다.

나는 그 당시 권총사건이 확대되었을 때 수사 또는 보안관계관이 나에게 권총을 물려준 그 선배를 직접 찾아가 확인하여 보았으나 그 분이 중환으로 병석에 누워 있어서 확인할 수가 없었으며 또 그 분이 확실히 기억하지도 못하고 있었다는 이야기를 들은 기억이 되살아났다.

나는 그 선배님을 전역 이후 조기에 꼭 찾아 뵙고 싶었으나 망설였다.

왜냐하면 그 분이 나에게 물려준 권총 때문에 내가 이러한 수모를 당했다는 사실을 혹시 동료친구나 후배들의 전언을 통하여 알고 있거나 또는 내가 을 뵙고 그러한 이야기를 다시 끄집어내는 것은 중환으로 신음하고 계신 그 선배님을 대하는 바른 길이 아니라고 생각하였기 때문이었다.

그러나 해군을 떠난 지 다섯 해가 지난 때, 나는 그 선배님을 만나 뵈어야 한다는 생각이 들었다.

여기 저기 수소문 끝에 그 분의 근황을 알았다.

그 선배님과 내가 최초로 가까이 상면하게 된 것은 내가 해군사관학교(이하 「해사」로 표시) 2학년생도 때 해사통해관의 2층 교실에서였다.

그 선배님은 그 당시 소령계급으로 항해학과의 항해운용 교관이었다. 훤칠하신 키에 넓은 가슴을 가지신 국제해군신사 바로 그 정수의 표상이었을 뿐 아니라 카랑카랑하고 약간 허스키적이며 정열적인 말씨로 항해 운용 색구와 장비를 선명하게 설명하면서 틈틈이 해군이 앞으로 어떻게 하여야 하며 우리들이 어떻게 나아가야 한다고 강조하시던 그때 그분의 강단에 선 인상은 너무나 뚜렷하고 강렬한 것이었다.

그 후로 나는 늘 그 선배님을 학교에서 뵐 때마다 더 가까이 가서 인사 드리고 싶었고 그 선배님 같은 장교가 될 수 없을까 하고 생각한 일이 있었다.

세월이 흘러 내가 임관 후 중위가 되었을 때 그 선배님과 나는 마침내 같은 함정에 승조하게 되었으니 그 함정이 당시 한국함대의 주력 전투함 중 하나였던 경기함(호위구축함 71호)이었다. 그 선배님은 대령계급으로 함장이었고 나는 중위계급으로 전탐관(전투정보장교)이었다. 함장님은 바로 그때에 나로 하여금 훗날 구축함 함장이 될 수 있도록 길을 열어주신 멋진 선배님이셨다.

그 분의 해박하신 해군전략, 전술이론, 정곡을 꿰뚫는 어려운 순간의 판단력, 늘 우리를 따뜻하게 해 주면서도 용기를 솟구치게 해 주었던 그 함장님은 우리들에게 우리가 채 잘 알지 못하고 있었던 지휘관으로서, 참모장교로서, 해양인으로서, 그리고 뱃사람으로서 커나가는 방향에 대하여 이론·실기 양면에서 산교육을 해 주신 고마우신 분이셨다.

그 선배님은 경기함 함장보직을 마치시고 전대사령관, 해군본부 작전차장, 초대 인천특정지역 사령관을 역임하시고 반드시

장성이 되실 분이라고 기대하였으나 우리들의 기대를 채워주지 못한 채 전역을 하시었다. 나에게는 매우 아쉽고 섭섭한 이별이었고 사건이었다.

그로부터 15여년이 지난 지금 제대로 일어나 앉지도 못하시는 중환의 그 선배님을 찾아 가게 된 것이다.

1992년 12월 5일 토요일 하오 2시, OO병원 OOO호실!
노크를 하고 병실의 문을 열고 들어서자 바로 그 선배님은 침대에 비스듬히 누워 계셨고 낯익은 사모님은 창가 간이소파에 앉아 계셨다.
내가 들어서자마자 깜짝 놀란 것은 옛날의 허스키하면서도 육중한 목소리 그대로 나를 알아보며 내 이름을 불러주시는 것이었으며 가슴위로 내어놓은 잠옷 바람의 얼굴 모습이 옛날 그대로였다.
나는 그 선배님 옆으로 다가가 이불 위에 놓인 그 선배님의 손을 잡고 「선배님! 너무 늦게 찾아 뵈어 정말 죄송합니다.」라고 읊조리며 옆에 앉았다. 분명히 선배님의 얼굴 모습은 별로 변함이 없었고 말씀하시는 것을 보니 기억손상 등의 장애는 전혀 없는 듯이 보였다.
이야기를 많이 하면 피곤하시거나 그 분을 귀찮게 하는 것이 될까봐 한참 동안 나는 그 분의 이야기를 듣기만 하면서 그 분의 상태를 더 정확히 알고 싶어 했다. 선배님은 조용히 그리고 띄엄띄엄 말을 이어갔다.

지금으로부터 12년 전 심장병 증세가 있어서 혈류검사를 하기 위하여 투시약물을 주입하는 과정에서 병원 측의 실수로 가슴 이하가 마비되어 오늘까지 이처럼 누워있다는 병환의 시발, 과정, 현 상태에 관한 이야기, 경기함 함장시절 함교 당직사관이 조충현이라고 하면 마음 놓고 잠을 잘 수 있었다는 이야기, 경기함에 함께 승조하고 있을 때 약 4개월의 기간 동안 함정으로 태평양을 건너가 「하와이」, 「호놀룰루」 미 해군 공장에서 경기함의 전자장비 현대화 작업을 위하여 체류 중에 있었던 많은 이야기, 왜 그때 장성 진급을 못하고 대령으로 예편하게 되었는가의 이야기, 그 당시 고급장교 분들의 사고와 동향에 관한 이야기 등에 관하여 시간 가는 줄도 모르고 해군 초창기부터 1980년대 초반까지에 있었던 해군에 관한 이야기를 꾸밈없이, 조용히 그리고 차분하게 들려주셨다.

그 분은 매우 긴 이야기를 일단 끝맺으셨는지 잠시 후 이제 나의 주변에 관한 이야기를 물어보기 시작하였다. 그런데 그 분은 아직도 내가 해군에 있는 것으로 알고 계신 듯하였다.

그도 그럴 것이 어떤 병 문안객이 내가 국방부에 근무하고 있다고 전언하였다면 그렇게 이해할 수도 있을 것이기 때문이다.

나는 조심스럽게 나의 신경을 귀로부터 입과 눈으로 옮겨 입

을 열기 시작하였다. 장성이 된 이야기, 해역사령관 및 함대사
령관 근무 이야기 그리고 전역하여 5년이 다 되어 간다는 말씀
을 드렸더니 그 분은 「장성이 되고 아니 two star가 되었는데
왜 그리 빨리 그만 두었어?」 하시는 것이었다.

이렇게 쌓였던 정담을 개시한지 부지중 세 시간이 되었는데도
그 분은 조금도 피로해 보이지 않았고 도중에 내가 걱정이 되어
사모님에게 이처럼 이야기를 많이 하시게 하여도 괜찮으시냐고
묻자 오랜만에 반가운 분이 오시면 제법 오랫동안 이야기하시
며 지금은 그렇게 해도 무리가 없다고 말씀하시는 것이었다.

나는 간단히 준장에서 소장으로 진급한, 나도 잘 모르는 사연
을 이야기 하였더니 그 분은 갑자기 매우 상기한 듯한 표정을
지으셨다.
「그래 그래서 왜 그만 두게 되었어?」 하고 다그쳐 물으셨다.
나는 한참 동안 머뭇거리며 그 선배님과 한참 눈을 맞추다가
해야 되겠구나 하고 생각하며 천천히 말문을 열었다.
「선배님! 그 점에 바로 선배님과 관계된 사연이 있습니다.」
라고 하니까 「나와 관계가 있어? 무어가!」 하시며 매우 의아
해 하면서도 의외이고 재미가 있다는 듯한 표정이었다.
나는 그 분에게 깊은 사연을 마침내 털어 놓아야만 하였다. 그
분의 정신이 맑았고 옛날의 그 대범함이 그 분의 눈빛 속에 살

아 있었다. 나는 마침내 그 분이 나에게 물려주신 Pistol의 전말을 정리할 필요를 느꼈다.

나는 조용히 그리고 침착하게 물었다.

「선배님! 선배님께서 경기함 함장님으로 계실 때 함장님께서 당시 포술장이었던 저에게 보관하라고 내어 주신 cal-45 권총을 혹시 기억하십니까?」 하였더니 「권총! 무슨 권총!」 하시면서 고개를 갸우뚱하시는 것이었다.

「선배님! 그 당시 함장님께서 어느 날 동료 함장님과 소병기 사격을 다녀오신 후 함정의 정수무기로 되어 있지 않은 낯설은 cal-45 권총 1정을 저에게 주시면서 이것을 소병기고에 보관해 두라고 지시하신 권총이었는데 기억나시지 않으십니까?」 하고 천천히 재차 설명 드렸다.

「그런 게 있었던가?」 하고 한참 곰곰이 생각하시는 듯하더니 「그래 그게 뭐가 일이 있었다는 말인가?」 하고 반문하시는 것이었다.

「네! 선배님, 바로 그 권총과 나의 갑작스런 전역이 다소 관계가 있습니다.」 라고 천천히 말씀 드렸더니 「그래!」 하고 정색을 하시더니 「그랬던 것 같아!」 하시는 것이었다.

나는 손바닥에 땀이 고이는 듯한 느낌이었다.

그리고 나는 한층 낮고 조용한 목소리로 선배님으로부터 물려받은 그 권총에 관계된 길고 긴 23년간의 사연을 간명하게 설명 드리고 「그 pistol 이 1987년 4월 경에 당시 함대병기 탄약창에서 공개적으로 폐기처분 되었습니다.」 라고 말을 이어갔다.

방안 세 사람의 표정이 모두 달랐다.
그 선배님은 무거운 표정으로 한참 동안 천정을 쳐다보시고 나는 그분의 상기된 듯한 옆얼굴을 살피고 있었으며, 사모님은 도저히 알 수 없는 일이라는 표정이었다.
그러더니 그 분은 한참 무엇을 찾는 듯 깊은 명상에 잠기시더니 다시 말문을 열었다.
바로 그 권총이 나에게 전달되기 이전의 내력을 설명하기 시작 하시는 것이었다.

6.25 동란 중 인천상륙작전을 전후하여 당시 초계함 OOO함을 승조하고 있을 때였다고 한다. 인천상륙작전과 연계된 양동작전목적의 일환으로 서해 「영흥도」에 상륙분대를 지휘하여 기습상륙을 실시한 일이 있었는데 그때 북괴의 정규군이 아닌 무장요원들이 포로로 잡혔으며 그 와중에서 그 당시 그들로부터 노획한 무기의 하나였다고 기억을 더듬으며 말씀하시는 것이었다.

그 권총이 그 후 선배님의 근무처에서 보관되어 오다가 경기함에까지 오게 되었다고 술회하시면서 선배가 후배에게 좋은 선물을 주지 못하고 그러한 나쁜 결과를 가져오게 하였으니 어떻게 하여야 하느냐고 크게 탄식을 하시는 것이었다.

나는 「선배님! 선배님은 제가 해군의 장성이 될 수 있도록 가르침의 선물을 주시었습니다.」
「그리고 그 권총으로 인하여 제가 해군을 갑자기 떠나게 된 것이 중요한 게 아니고, 선배님께서 저에게 물려주신 그 권총이 다른 어떤 나쁜 사건도 일으키지 않고 보관하여 오다가 공개적인 처리가 되었다는 점이 지금의 선배님과 저에게는 더 중요한 이야기입니다.」 라고 말씀 드렸다.

그 분은 「그럴 바에야 다른 방법이 없었을까?」 하고 말을 채 끝맺으시기 전에 나는 일어서서 차분하게 말씀 드렸다.
「선배님! 방법이야 많았지요. 제가 해군제독이었으니까 바다에 버린다거나, 부수어버린다거나 아니면 분해하여 땅속에 묻어버리는 방법 등 말이에요.」
그 다음에 이어져야 하는 나의 말은 그 동안 여러 번 내가 해온 독특한 이야기였다. 그 내용인 즉,
「선배님! 저, 즉 일개 국가의 장성인 무인으로서 군인의 생명처럼 여기는 무기가 우리의 것임이 확실하고 특히 선배님께서

물려주신 것일진대 만일 제가 바다에 버리거나 부수거나 땅에 묻고 나서 해군대장이 되었다고 하더라도 마음 한구석에 남는 검은 반점을 간직하게 되는 것 보다는 차라리 지금 이 상태의 오늘의 제가 훨씬 당당하고 멋있는 무인의 도와 자격을 갖춘 것이라고 생각한다.」면서 그 분의 손을 꼭 잡았다.

「선배님! 바로 저는 선배님께서 가르쳐 주신 바 대로 Best에서 Best를 선택하였다고 생각하고 있으며 무엇보다 가장 합리적인 처리를 하였다고 지금도 생각하고 있습니다.」라고 말씀 드렸다. 나는 선배님의 힘없는 손에서 따스함을 느낄 수 있었다.
나는 이야기의 끝을 맺어야 하였다.

「선배님! 오늘은 이야기가 너무 길었습니다. 저는 여기 선배님을 찾아 뵐 때까지는 선배님께서 제대로 이야기도 하실 수 없는 상태이리라고 알고 왔는데 너무 재미있고 멋있는 훌륭한 이야기를 많이 듣고 또 선배님께서 저에게 물려주셨던 권총의 전말에 관하여 이야기하고 나니 가슴이 탁 트이는 것 같아 정말 후련합니다.」라고 말씀 드렸다.

그 분과 밀착되어 두 사람 사이에 엮어진 깊은 사연을 정신 없이 주고받고 하다 보니 무려 4시간이 지나버렸다.

「선배님! 이제부터 자주 찾아 뵙겠습니다.」

「그리고 급한 일이나 어려우실 때에는 언제든지 불러 주십시오.」라고 말씀 드리면서 나는 수첩에서 명함 한 장을 꺼내어 사모님께 전하였다.

사모님은 선배님처럼 키가 날씬하시고 매우 자상하셨으며 우리가 젊었을 때는 친 누나처럼 느끼게 하였던 분이셨다.

그 고왔던 모습이 12년이라고 하는 장기간의 기약 없는 선배님의 병간호와 뒷바라지로 인하여 많이 수척하여 지신 듯하였으나 옛 날의 인자함은 그 분의 엷은 주름 속에 아직도 변함없이 스며 있었다.

내가 일어나려 하자 선배님은 손을 내미시는 듯하였다. 지나간 네 시간 동안의 대면에서 그 분의 침대 위에 놓인 손의 새끼손가락이 움직이는 것을 보고 나는 이제 알아차릴 수 있었다.

내 손을 꼭 잡으시더니 한참 눈을 감고 계시다가 「조제독! 그 권총의 일련번호가 기억난다.」는 것이었다.

나는 다시 한 번 놀라지 않을 수 없었다. 나는 그 권총을 23년간 보관하였음에도 그 권총번호를 외우고 있지 않았기 때문이다.

그 분은 한참 입을 우물우물하시다가 「후이…후이야… 야…, 요… 요 야… 무, 그래! 요야무야」하시는 것이었다.

사모님이 재빨리 적어야 된다고 하시면서 종이와 연필을 드셨다. 사모님의 행동은 매우 민첩하고 숙달되어 있는 것 같았다. 사모님은 「무어에요? 이것 중국말인가?」 하시면서 「후-이-야, 요-야-무」 라고 선배님께 다시 확인하면서 적어내려 갔다. 선배님은 확실히 떠오른 모양인지 그래 「후이야 - 요야무」 야 하고 대단한 것을 발견한 것처럼 기뻐하셨다.

나는 무슨 말씀인지 도무지 알 수가 없었다.
사모님이 「아마 이게 숫자를 의미하는 것 같아요.」 하신다.
그제서야 「아!」 하고 내가 알아들었다.
중국말이 아니라 일본말이었다.
일본말의 숫자 부름에는 두 가지가 있다.

「1=이찌」, 「2=니」, 「3=산」, 「4=시」, 「5=고」 하는 방식과 「1=이」, 「2=후」, 「3=미」, 「4=요」, 「5=이쓰」, 「6=무」, 「7=나나」, 「8=야」, 「9=고고노」, 「10=도-」 하는 것인데,

선배님께서 중얼거리신 「후이야 · 요야무」 는 「218486」 이라는 바로 그 권총의 고유 번호를 의미하는 것이었다.

사모님께서는 너무나 애석한 사연으로 이해하셨음인지 그 발

음과 숫자를 나에게 다시 적으라는 것이었다. 사모님은 내가 일본 서적을 마음대로 읽을 수 있는 일어 실력을 가지고 있음을 아실 리가 없다.

그래도 그 발음과 숫자조립을 수첩에 적고 있는데 선배님은 내 손을 다시 꼭 쥐면서 「조제독, 그 번호는 기분 나쁜 것이야.」라고 말씀을 하신다.

사모님이 「참 그렇네.」하신다.

「후이야·요야무」는 나도 알 것 같았다.

이 숫자의 부름은 또 다른 일본말로 뜻을 바꾸어 보면 다음과 같이 한문으로 조립될 수 있다.

不=후, 一=이, 夜=야, 世=요, 止=야, む=무

한문으로 그대로 바꾸어 적는다면 「不一夜, 世止む」라는 일본어 단어의 조합이 된다. 정말 신기한 어떤 예언인 듯하였다. 구태여 해석을 부친다면 「한 밤이 다 가기 전에 세상이 그치고 만다.」는 풀이가 된다.

나는 어떻게 이럴 수가…… 하면서도 태연하고자 안간힘을 다하였다.

나는 「선배님! 이제부터 자주 찾아 뵙겠습니다.」하고 손을 꼭 잡은 체 헤어짐의 인사를 드렸다.

「선배가 좋은 일을 못하여 주고…」하시면서 나를 뚫어지게 쳐다보시는 것이었다.

나는 불현듯 눈시울이 뜨거워짐을 느꼈다.

「선배님! 자주 와서 더 많은 이야기 듣고 또 하여 드리겠습니다.」 하고 인사 드리고 병실을 나섰다.

1층 현관까지 사모님께서 나오셔서 배웅을 하여 주시었다.

차를 타고 정문을 나서려 하니 주차표 확인소에서 「8,000원입니다.」 하였다.

나는 거의 20여 년 만에 12년간 입원하여 투병하고 계신 해군 사관 학교 대선배님의 병문안을 왔다가 시간이 이처럼 지체되었다고 하면서 내가 국방부에 근무함을 이야기 하였더니 「참으로 좋은 일 하셨습니다.」 라고 하면서 차막이 봉을 올려주는 것이었다.

땅이 푹 꺼지는 것처럼 피곤하면서도 평안함을 느꼈다.

「후이야·요야무」 「不一夜·世止む」 바로 그 「218486」 이라는 이름을 가진 문제의 권총은 내게로 와서, 별이 뜬 한 밤이 다 가기 전에 나의 장성 세계를 그치게 한 것인가?

나는 흡사 어려운 영어 단어를 외우는 것처럼 「후이야·요야무」, 「후이야·요야무」 하고 되뇌면서 그 권총 때문에 신경을 많이 써왔던 사랑하는 아내에게로 돌아왔다.

드디어 나는 해군본부 관계부서에 문제가 되었던 권총의 고유 번호를 확인 통보 해줄 수 있겠는가 요청하였더니, 며칠 후 주요 지휘보고 자료에서 확인 되었으며 그 번호는 바로 「218468」이라고 통보 받았다.

11. 끝으로

나는 이 글을 마감하면서 명예롭게 전역하지 못하고 물의를 일
으키게 되어 너무 괴롭고 부끄러웠음을 고백한다.

공과 사를 구분하지 못하고, 병기전문가와 논의도 없이, 법무
요원의 자문도 시도하지 않고, 더구나 많은 선배님들에게 털어
놓고 지도도 받지 않은 채 불법무기를 소홀히 취급하였으며,
무기를 맡기신 선배님에게 돌려드려야 한다는 일념으로 병기
를 취급하여 이러한 결과를 초래하였으니 변명의 여지가 없는
일이었다.

문제의 병기가 보관되었던 함정에 그대로 보관해주도록 요청
하고 맡기신 선배님에게 보다 적극적으로 연락하여 처리방향
을 모색하여야 하였다.

그러나 그 즈음에는 선배님은 중환으로 장기간 병원에 계셨기 때문에 연락이 두절되었다.

세월이 흘러 결국 그 병기는 헌병대에 신고 보관되었고 그 후 탄약창에서 공개 파기되었으나 병기출처/파기이유가 아직도 선명치 않다고 하여 문제가 된 모양이었다

그러나 출처는 내가 몇 번이나 사실대로 밝힌대로이고 나는 전혀 파기의도가 없었으나 병기는 탄약창에서 파기된 것이다.

「후이야 · 요야무」라는 생소한 용어는 그 문제 병기의 출처를 명확히 밝혔고 출처가 명확한 그 병기를 나는 파기할 이유가 전혀 없었으며 이를 뒷받침할 중요한 자료는 병기를 나에게 맡기셨던 선배님이 병석에서 마지막으로 나에게 보내주신 「THANK YOU CARD」에 기록된 다음과 같은 내용이다.

아끼던 후배에게

보고 싶었던 조제독이 뜻밖에 병실을 찾아 주어 너무나 반갑고 고마웠습니다. 내가 지난날 무심코 뿌렸던 씨앗이 유능한 인재의 전도에 그렇게 엄청난 막음이 되었다니 참으로 가슴이 미어지는 아픔을 느낍니다.
그러나 칠전팔기의 정신으로써 더욱더 발전할 것을 확신합니다.

부인과 자녀들에게 심심한 위로의 말씀을 뒤늦게나마 전합니다.
온 가내의 전승과 영광만이 있기를 기원하겠습니다.

1992. 12. 6 Y J S

CARD를 보내주신 선배님은 그 후 건강상태가 악화되어 93
년 8월 하늘나라로 가셨다.

「존경하고 사랑하는 대선배님!」
하늘나라에서는 제발 더 아프지 마시고 「후이야·요야무」도
잊으시고 평안하시길 손모아 기원합니다.

전역 이후 나는 한동안 벙어리가 되었다.

그러나, 그래도 나는 무인이었다. 지금도 무인이고 싶고 앞으로도 꾸준히 무인의 길을 걸어가야 한다고 생각한다. 그리고 나는 바다의 무인, 동해의 노병, 해군제독임을 명심하여야 하는 종착역에 서있다.

중단되지 않고 이어지는 후배들의 가슴과 기억 속에 오래오래 남고 싶으며 그들을 위해서 항상 기립박수를 쳐야 한다고 생각한다.

「별은 떠서 언제 지는가?」
유명한 무인 「맥아더」 장군은 미의회의 고별연설에서 「노병은 결코 죽지 않고 사라질 뿐이다」 라고 고별 소감을 술회 하였다.

나는 「맥아더」 장군의 고별 소감은 「노병의 모습은 사라지더라도 노병의 군인정신과 탁월한 지도력은 후배들이 죽지도 않고, 사라지지도 않게 지키고 발전 시켜야 한다」 는 부탁을 남기신 것이라고 해석하고 싶다.

"아빠는 엄마가 돌아가신 날로부터 정확히 10년이 되는
같은 날짜에 돌아가셨다. 함께 인생을 졸업하신 두분
께 무한한 사랑을 전하고 싶다."

조충현

1955.03 – 1959.04 해군사관학교, 소위 임관
1964.06 해군대위 진급
1967 – 1968 미 해군 7함대 유학
1968.06 해군 소령 진급
1971.06–12 해군 대학 수료
1976.06 해군 대령 진급
1976.09 – 1978.03 구축함 95 함장
1978.03 – 1981.01 함대 사령부 교육훈련 참모
1981.01 – 1981.07 국방부 군구조 개편 위원회 위원
1981.07 – 12 해군본부 정책발전실 처장
1981.12 – 1982.12 해군본부 작전처장
1983.01 해군 준장 진급
1983 – 1984.01 해군본부 작전차장
1984.01 – 1986.01 해군 제1해역 사령관
1986.02 해군 소장 진급
1986.02 – 1987.01 해군 제1함대 사령관
1987.01 – 1987.06 해군 작전사령부 부사령관
1987.06.30 전역 해군예비역 편입
1987.10.01 국방대학원 군사연구위원
1988.06 국방대학원 경영관리 수료
2021.12 별세

푸른 동해의 영원한 노병

초대 제1함대 사령관 조충현 제독의 비망록

발행일 | 2024년 2월 20일

지은이 | 조충현
엮은이 | 조정선
펴낸이 | 마형민
기　획 | 신건희
편　집 | 김현주
펴낸곳 | (주)페스트북
주　소 | 경기도 안양시 안양판교로 20
홈페이지 | festbook.co.kr

ISBN 979-11-6929-452-2 03810
값 15,600원

* (주)페스트북은 '작가중심주의'를 고수합니다. 누구나 인생의 새로운 챕터를 쓰
도록 돕습니다. Creative@festbook.co.kr로 자신만의 목소리를 보내주세요.